P.A

Problèmes d'Amérique latine

Revue trimestrielle

Directeurs de la rédaction :
Marie-France PRÉVÔT-SCHAPIRA, université Paris VIII – CREDAL
Gilles BATAILLON, EHESS Paris et CIDE Mexico

Comité de rédaction :
Julie DEVINEAU, docteure en Sciences politiques ; Frédérique LANGUE, Centre
national de la recherche scientifique – CERMA ; Françoise LESTAGE, université
Diderot-Paris VII ; Denis MERKLEN, université Paris VII – CEMS ; Évelyne
MESCLIER, Institut de recherche pour le développement ; Magali MODOUX, Institut
d'études politiques de Paris ; David RECONDO, Fondation nationale des sciences
politiques – CERI ; Sébastien VELUT, Institut de recherche pour le développement
– ENS ; Dominique VIDAL, université Paris VII.

Conseil scientifique :
Jacques ADDA, université de Bar-Ilan, Israël ; Michel AGIER, Institut de recherche
pour le développement ; Jean-Michel BLANQUER, université Paris III – IHEAL ;
Christophe CORDONNIER, Cercle Kondratieff ; Georges COUFFIGNAL, université
Paris III – IHEAL ; Noëlle DEMYK, université Paris VII ; Henri FAVRE, Centre
national de la recherche scientifique ; Jacky FAYOLLE, Institut de recherches
économiques et sociales ; Christian GROS, université Paris III – IHEAL ; Sophie
JOUINEAU, Délégation aux Affaires stratégiques, ministère de la Défense ; Jean-
Pierre LAVAUD, université Lille I ; Yvon LE BOT, Centre national de la recherche
scientifique ; Philippe LETRILLIART, ministère des Affaires étrangères ; Joaquim
OLIVEIRA, OCDE ; Daniel PÉCAUT, EHESS ; Jean PIEL, université Paris VII ; Carlos
QUENAN, université Paris III – IHEAL ; Alain ROUQUIÉ, ministère des Affaires
étrangères ; Yves SAINT-GEOURS, ministère des Affaires étrangères ; Hervé THÉRY,
École normale supérieure.

Directeur de la publication :
Pascal LOROT

Revue publiée avec le soutien de
l'Institut Choiseul
pour la Politique internationale et la Géoéconomie
avec le concours
du Centre National du Livre (CNL)

Problèmes d'Amérique latine
28, rue Étienne Marcel
75002 Paris
Tél. : 01 53 34 09 93 ; Fax : 01 53 34 09 94
pal@choiseul-editions.com
Site : www.choiseul-editions.com

SOMMAIRE

DOSSIER

Amérique centrale, fragilité des démocraties

Coordonné par Gilles Bataillon

VARIA

DOSSIER

AMÉRIQUE CENTRALE, FRAGILITÉ DES DÉMOCRATIES

Coordonné par Gilles BATAILLON

Amérique centrale, fragilité des démocraties

Gilles Bataillon *

Voilà une vingtaine d'années que des régimes démocratiques se sont institués en Amérique centrale et que les guerres internes dont elle était le théâtre ont pris fin. Pourtant, contrairement aux espoirs de nombre d'acteurs et de beaucoup d'observateurs, ces nouvelles démocraties hondurienne, salvadorienne, guatémaltèque et nicaraguayenne restent étonnamment fragiles.

Les difficultés que rencontrent les pays centraméricains à avancer dans leur projet d'intégration régionale, condition sine qua non pour résister aux ingérences extérieures, sont emblématiques de cette fragilité. Ce ne sont pas seulement là des problèmes techniques, mais bel et bien des problèmes politiques. Comme Philippe Létrilliart le souligne très justement dans son étude, cette situation témoigne des impasses du projet régional et d'un manque de volonté. Si dans les années 1960, lors du lancement du Marché commun centraméricain, les habitants de l'isthme et les élites centraméricaines pariaient sur l'avenir en misant sur l'intégration régionale, ceux-ci sont aujourd'hui beaucoup plus dubitatifs sur de telles possibilités. À l'exception du Panama et du Costa Rica, les autres pays sont devenus des nations où la crise du futur est patente comme le prouve le nombre croissant de migrants en partance vers les États-Unis, le Canada, le Mexique et les pays européens. Le fait est ancien au Salvador, mais va crescendo aux Guatemala, au Honduras et au Nicaragua. Les institutions politiques régionales, notamment le Parlement centraméricain (PARLACEN), sont autant de coquilles vides devenues avant tout des sinécures pour les politiciens qui y siègent. Si l'intégration régionale a favorisé une certaine croissance économique, les réformes sociales – lutte contre l'analphabétisme, développement des prestations sociales – qui devaient accompagner cette croissance n'ont tout simplement pas vu le jour.

* Gilles Bataillon est directeur d'études à l'EHESS et professeur invité au CIDE (Mexico).

Comme le montre Willibald Sonnleitner en analysant 22 ans de processus électoraux au Guatemala, ces problèmes économiques et sociaux pèsent bien évidemment sur les pratiques politiques. Il n'y a pas seulement une crise de la représentativité des partis politiques, mais plus encore une désarticulation entre le monde des institutions politiques, qu'il s'agisse des institutions nationales (la présidence de la République et le Parlement) et des gouvernements locaux (les municipalités), et les acteurs sociaux économiques. Vu l'absence de ressources fiscales, les capacités d'action de l'État et des gouvernements locaux comme celles de la justice sont donc réduites à leur plus simple expression et ne pèsent pas lourd face aux « pouvoirs de faits » que sont ceux des secteurs agro-exportateurs ou du monde des narcotrafiquants chaque jour mieux implantés et plus présents au Guatemala. Aussi les citoyens guatémaltèques tendent-ils à se désintéresser du jeu politique soit en s'abstenant soit en ne s'inscrivant même plus sur les listes électorales, tandis que les hommes politiques semblent chaque jour avoir moins d'emprise sur les événements.

L'affaire Zoilamérica, qu'analyse très en détail Delphine Lacombe, nous présente l'un des phénomènes les plus révélateurs de la fragilité des démocraties centraméricaines : l'absence d'une justice indépendante et ce faisant la plaie que constitue l'impunité judiciaire. On se souvient de l'affaire. En 1998, Zoilamérica Narváez dénonce publiquement Daniel Ortega, son père adoptif, commandant de la révolution sandiniste et ex-président de la République, pour des viols perpétrés à son encontre dès l'âge de 11 ans. Cette mise en accusation et la façon dont l'affaire sera, non seulement enterrée par la justice nicaraguayenne, mais utilisée par Daniel Ortega dans son alliance avec le président libéral du moment Arnoldo Alemán, qui fait face à une accusation de détournement de fonds, est emblématique de l'absence d'indépendance de la justice et de sa soumission au pouvoir politique. Si cette affaire est sans équivalent du fait des protagonistes qu'elle met en scène elle est révélatrice de l'état des mœurs. On est à la fois face à une levée de tabous sans précédent dans l'histoire centraméricaine : des femmes prennent la parole et dénonce un viol d'État, des intellectuels mettent à nu des chaînes de complicités entre les politiciens autrefois ennemis qui s'allient pour éliminer leurs possibles concurrents et créer de fait une nouvelle oligarchie politique. Si les choses sont révélées publiquement, la justice est vassalisée par le personnel politique et reste impuissante à dire le droit et plus encore à le faire appliquer. La démonstration faite par Delphine Lacombe donne à l'évidence des pistes pour réfléchir sur les situations dans lesquelles se trouvent les pouvoirs judiciaires dans l'ensemble de l'isthme.

Enfin Dora María Téllez, la secrétaire générale du Mouvement rénovateur sandiniste, se livre à un tour d'horizon de la situation politique nicaraguayenne. Elle analyse fort crûment les dérives totalitaires de la présidence Ortega et montre à quelles impasses elles conduisent le pays. Elle s'interroge enfin sur les marges de manœuvres et les options de son parti aujourd'hui résolument partisan d'un réformisme inspiré des pratiques de la présidence de Lula au Brésil, de celles des anciens Tupamaros en Uruguay ou de Michèle Baschelet au Chili.

Où en est l'intégration centre-américaine ?

Philippe Létrilliart *

Marginalisés au sein du monde global, éloignés des principaux circuits commerciaux mais directement touchés par la criminalité transnationale, les États centre-américains sont des États faibles, parfois considérés comme des *failed States* [1]. Depuis les indépendances, le constat de leurs faiblesses est récurrent : fragmentation du territoire de l'isthme, productions limitées, étroitesse des marchés internes, absence d'économies d'échelle, manque de visibilité politique et de capacité d'action internationale. Dans ces conditions, l'intégration est depuis longtemps une voie privilégiée de renforcement mutuel. Elle constitue pour la sous-région un facteur d'unité politique répondant à son unité géographique et linguistique, voire historique et culturelle, et permet une relative reconnaissance internationale. Mais l'intégration, quelle que soit sa forme, est porteuse de plusieurs contraintes : réduction des marges d'action des États, perte de ressources fiscales, obligation de concertation sur les questions internationales, notamment.

En outre, l'intégration centre-américaine ne se fonde pas sur une option unique mais plutôt sur une combinaison de modèles, ce qui aboutit à des résultats parfois passablement contradictoires entre eux. La multiplication des accords internationaux passés par l'Amérique centrale et les options politiques et économiques divergentes qu'elle implique évoquent invariablement l'image

* Philippe Létrilliart est correspondant scientifique du Centre d'études et de recherches internationales (CERI). L'auteur remercie Sébastien Hardy, Anne Petot et Inès Létrilliart pour leur relecture attentive.
1. C'est-à-dire des États incapables d'assurer leurs fonctions régaliennes, instables, dont les troubles sociaux et politiques peuvent susciter des interventions extérieures. Voir Serge Sur, « Sur les États "défaillants" », *Commentaire*, n° 112, hiver 2005.

du *spaghetti bowl* [2]. Cependant, on peut tenter de ramener ces différentes tentatives à quelques figures précises, plus exactement aux trois modèles d'intégration régionale distingués par Gérard Kébabdjian dans son étude du cas euro-méditerranéen : le régime régional, le modèle européen et, apparue plus récemment, la gouvernance globale [3]. Si la construction régionale centre-américaine (Sistema de la Integración centroamericana, SICA) peut se rapporter, avec des nuances, à un régime international ou régional, elle emprunte des traits au modèle européen, les institutions et les instruments intégrateurs de l'Union européenne étant revendiqués comme des voies possibles pour la sous-région. Parallèlement, l'Amérique centrale se rapproche d'un troisième modèle, celui de la gouvernance globale – ou, pour le moins, régionale – à mesure qu'elle s'intègre à l'accord de libre-échange centre-américain promu par les États-Unis (Central America Free Trade Agreement, CAFTA).

Les États centre-américains privilégient donc une combinatoire aux conséquences directes sur l'économie politique de la sous-région. Certaines périodes ont vu le politique – dans sa dimension tragique – supplanter l'économique. Depuis les années 1990, l'intégration économique a plus de réalité que l'intégration politique, cette dernière se résumant souvent à des effets d'annonce. Cet équilibre pourrait évoluer dans le cas où les États décideraient, au-delà des relevés de conclusion des sommets, de mettre en œuvre des politiques publiques réellement destinées à affronter les problèmes de la sous-région : questions sécuritaires et inégalités sociales en premier lieu. Nous en sommes encore loin. Dans ce contexte, l'apparition du CAFTA implique plusieurs conséquences : des changements d'échelle auxquels aucun pays d'Amérique centrale ne peut être insensible, une relation renouvelée avec les États-Unis, l'option possible d'un nouveau modèle d'intégration. Elle implique aussi un mode de relation du politique et de l'économique a priori plutôt favorable à l'économique. La complexité de cette situation peut être interprétée à partir du schéma proposé par Ch. Deblock, D. Brunelle et M. Rioux pour comparer les trois choix possibles entre marchés, États et institutions de coopération [4] :

2. Selon l'expression de J. Bhagwati. Jagdish Bhagwati, David Greenaway et Arvind Panagariya, "Trading preferentially: Theory and Policy", *The Economic Journal*, vol. 108, n° 449, 1998, pp. 1128-1148.
3. Gérard Kébabdjian, « Économie politique du régionalisme : le cas euro-méditerranéen », *Région et développement*, n° 19, 2004, pp. 151-184.
4. Christian Deblock, Dorval Brunelle et Michèle Rioux, « Mondialisation, concurrence et gouvernance : émergence d'un espace juridique transnational dans les Amériques », CEIM GRIC université du Québec, *Cahier de recherche*, 02-03, mars 2002, p. 25. Ce triangle s'inspire du triangle d'incompatibilité de Robert Mundell. Il a été adapté sur la base des modifications apportées par G. Kébabdjian pour l'étude du cas euro-méditerranéen afin de l'utiliser dans le cadre de la situation centre-américaine. G. Kébabdjian, « Économie politique du régionalisme : le cas euro-méditerranéen », *op.cit.*, p. 174.

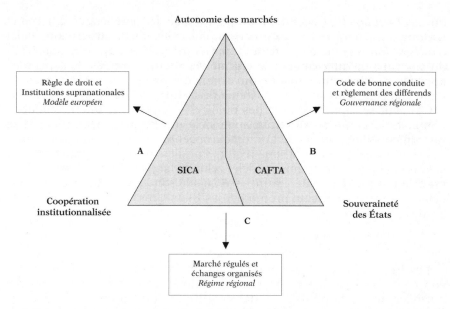

Schématiquement, la face A du triangle décrit une situation proche du modèle européen, comportant des éléments de supranationalité et tendant vers le renforcement de cette dernière (pouvoir réglementaire, instruments de décision supranationaux, organes juridictionnels et parlementaires communs). La face B relève d'une intergouvernementalité peu institutionnalisée, proche en cela du mode de gouvernance régionale prôné par les États-Unis (projet de zone de libre-échange des Amériques, fonctionnement du CAFTA). Enfin, la face C peut s'assimiler à un régime régional dans lequel les États, tout en se donnant des règles communes, ne renoncent pas à leur souveraineté. Le triangle d'incompatibilité proposé par ces trois auteurs est utile pour notre approche de l'intégration centre-américaine en ce qu'il illustre les choix ou, plutôt, les non-choix des États centre-américains. L'intégration de l'Amérique centrale, après s'être située entre la face C et la face A du triangle pourrait à l'avenir, en s'associant aux États-Unis, intégrer certains éléments du modèle de gouvernance régionale nord-américain (face B). Reste qu'il est peu probable que l'Amérique centrale fasse le choix d'un modèle unique d'intégration, sous-régionale dans l'approfondissement du SICA ou régionale, voire hémisphérique à terme, dans la poursuite de sa relation avec les États-Unis. La sous-région devrait, comme elle l'a fait jusqu'à présent, miser sur la combinaison des modèles plus que sur une solution unique [5]. Cette attitude pourrait lui permettre de répondre à des objectifs multiples :

---

5. Pour l'Amérique centrale, la question du choix des modèles, ou de l'hésitation face aux modèles, n'est pas nouvelle. En 1998, lors d'un précédent dossier de *Problèmes d'Amérique latine* consacré à l'Amérique centrale, Noëlle Demyk s'interrogeait déjà sur un éventuel changement de modèle d'intégration dans le cadre du régionalisme ouvert. Voir Noëlle Demyk, « Vers un nouveau modèle d'intégration de l'isthme centraméricain ? », *Problèmes d'Amérique latine*, n° 30, juillet-septembre 1998, pp. 3-29.

commerciaux, politiques, sociaux et sécuritaire. Dans cet esprit, cet article s'attachera à présenter la construction régionale centre-américaine dans ses dimensions politique et économique, ainsi que ses relations avec ses partenaires extérieurs avant de revenir sur les enjeux, voire les contradictions, de son association aux États-Unis.

L'INTÉGRATION CENTRE-AMÉRICAINE, UN RÉGIME RÉGIONAL TENDANT VERS LE MODÈLE EUROPÉEN ?

Les avatars de la « nation » centre-américaine

Quel que soit le nom qu'on lui donne, l'intégration est une ambition ancienne en Amérique centrale, consubstantielle à l'idée que les pays de l'isthme se font d'eux-mêmes. La volonté de réunir en une seule entité juridique la « nation » centre-américaine apparaît dès 1823, au moment où les régions de l'ancienne Capitainerie générale du Guatemala créent les Provinces unies d'Amérique centrale, après l'échec de l'Empire mexicain d'Iturbide. Cette nouvelle entité adopte une Constitution fédérale et choisit un président, installé à Guatemala Ciudad, chacune des cinq provinces conservant une grande autonomie. Mais les luttes internes entre libéraux puis le déclenchement d'une guerre « civile » entre le Guatemala d'une part, le Honduras et le Salvador d'autre part, vont dangereusement fragiliser le processus. Lorsque le Hondurien Francisco Morazán devient président de la fédération, l'ensemble politique centre-américain continue de se heurter à des forces centrifuges puissantes : cette tentative d'union s'achève en 1842, avec la défaite militaire de Morazán, battu par le dictateur guatémaltèque Rafael Caldera.

En 1871, un autre Guatémaltèque, Justo Rufino Barrios, cherche à relancer le fédéralisme centre-américain, pour contrer l'influence croissante des États-Unis. La pénétration de Washington au Nicaragua et dans la région, non encore indépendante, de Panama avec les projets de canal interocéanique inquiète le plus grand État de l'isthme. Mais les moyens choisis par Barrios pour atteindre cet objectif sont peu adéquats : après avoir proclamé unilatéralement la réunification de l'Amérique centrale, il tente de l'imposer militairement à ses voisins. En 1885, sa mort met fin à ce nouvel avatar d'union centre-américaine. Instruits par l'échec de cette tentative autoritaire, les États de l'isthme cherchent à privilégier une formule plus souple. En 1921, un accord d'union est approuvé par quatre pays mais le Costa Rica refuse d'y souscrire. Deux ans plus tard, une étape est franchie avec la signature d'un traité de paix et d'amitié entre les cinq États de la sous-région. La question des suites à donner à cet accord occupera longtemps les responsables politiques, sans solution pratique. Cependant, après la Deuxième Guerre mondiale, la création de l'OEA fournira un exemple que la sous-région s'efforcera de suivre.

Une intégration politique ambitieuse mais limitée : de l'ODECA au SICA

L'Organisation des États centre-américains (Organización de los Estados Centroamericanos, ODECA) est fondée le 14 octobre 1951 à San Salvador et regroupe cinq pays : Guatemala, Honduras, Salvador, Nicaragua et Costa Rica. Leur but est de « renforcer leurs liens ; se consulter mutuellement pour maintenir la fraternelle coexistence de cette région du continent ; (...) assurer la résolution pacifique de tout conflit qui pourrait surgir entre eux ; (...) chercher des solutions communes à leurs problèmes communs et promouvoir le développement économique, social et culturel grâce à l'action commune et solidaire » (article 1 de la charte de l'ODECA). Pourtant, le système manque de volonté claire quant à ses orientations globales. Les facteurs extérieurs, notamment l'intervention américaine de 1954 au Guatemala, ne sont pas étrangers à cette absence de cohésion. En 1962, les États membres adoptent une nouvelle charte qui renforce la structure politique et sociale de l'organisation. La réunion des présidents s'institutionnalise avec la création de plusieurs organes : un conseil exécutif, un conseil législatif, un organe à vocation culturelle et éducative et une cour de justice.

La « guerre du football » qui éclate en 1969 entre le Salvador et le Honduras, à l'occasion d'un match entre les deux pays, paralyse tout le processus. Cet épisode souligne les faiblesses structurelles de l'intégration centre-américaine. Les hostilités se déclenchent du fait de la présence d'immigrants salvadoriens sur le territoire hondurien, qui achètent et exploitent des terres dont ils exportent la production chez eux. Révélateur de comportements économiques opposés, ce conflit tient aussi à ce que, entre ces deux pays comme ailleurs dans l'isthme, les questions territoriales et frontalières ne sont pas réglées [6]. Comment, dans ces conditions, établir une union durable alors même que des contentieux et des réclamations sont en cours ? Peu après, la révolution sandiniste, ainsi que les guérillas menées au Salvador et au Guatemala vont rendre inutilisable l'appareil politique [7]. Face aux perturbations internes des États, le mouvement intégrationniste est totalement impuissant et son blocage complet.

La sortie de crise viendra d'une mobilisation régionale. Alors que les Nations unies ne s'estiment pas en mesure de mettre en place des opérations de maintien de la paix, comme le réclame le Nicaragua inquiet de l'implication des États-Unis dans les opérations de la *contra*, la Colombie et le Venezuela forment en 1983, avec le Panama et le Mexique, le « Groupe de Contadora »

---

6. Alain Rouquié, « Honduras-El Salvador. La guerre de cent heures : un cas de "désintégration" régionale », *Revue française de science politique*, vol. 21, n° 6, 1971. Sur l'importance des différends frontaliers comme frein à l'intégration, voir Lucile Medina-Nicolas, « Les enjeux de l'intégration en Amérique centrale », dans Sébastien Hardy et Lucile Medina-Nicolas (coord.), *L'Amérique latine*, Nantes, Éditions du temps, 2005, pp. 34-51.
7. Sur les guerres civiles et les affrontements armés au Nicaragua, au Guatemala et au Salvador, voir Gilles Bataillon, *Genèse des guerres internes en Amérique centrale (1960-1983)*, Paris, Les Belles Lettres, 2003.

en vue de rechercher des solutions politiques aux difficultés de la région. Les pays du groupe, auxquels se sont joints l'Argentine, le Pérou, le Brésil et l'Uruguay, condamnent le recours à la force et recommandent le dialogue et la négociation politique. En 1986 et 1987, ces efforts débouchent sur les sommets centre-américains « Esquipulas I et II » et sur le « Plan d'instauration d'une paix durable en Amérique centrale », qui affirme que « la paix et le développement sont inséparables ». Ce plan propose : la fin des hostilités, l'amnistie générale ainsi que la réconciliation nationale et internationale, la transition démocratique par le biais d'élections libres, l'arrêt de l'aide des tierces parties aux forces irrégulières ou aux guérillas, l'interdiction d'utiliser un territoire national dans le but de mener des actions bellicistes contre un voisin de ce territoire. Le fait d'internationaliser la question centre-américaine et de médiatiser le rôle joué par des puissances mondiales renverse la problématique du conflit et pousse ces puissances, et en premier lieu les États-Unis, à arbitrer entre l'avantage d'être présent sur le terrain et le coût de la dénonciation de leur action devant les opinions publiques. En 1987, l'ONU met en place avec succès des missions d'observation et de vérification qui débouchent sur les accords de paix signés au Salvador en janvier 1992 et au Guatemala en février 1994 [8].

Le début des années 1990 voit donc le retour de la paix et de la démocratie dans la région tandis que la fin de la bipolarité modifie la perception des alliances. Les luttes révolutionnaires s'épuisent, les processus de paix se mettent en place et les relations politiques du Salvador et du Nicaragua se normalisent. Parallèlement, après l'intervention de Washington contre Noriega, le Panama manifeste la volonté de s'agréger à l'ensemble centre-américain. La possibilité s'ouvre à nouveau d'envisager une coopération autre qu'économique, voire de reprendre les idées de régionalisme politique. Autant de facteurs qui vont conduire à la mise en place du système d'intégration centre-américain.

Au sommet d'Antigua, en 1990, le président du Costa Rica, Oscar Arias, évoque la nécessité d'un processus démocratique appuyé sur des réformes sociales. C'est à peu près la philosophie qui préside à la création du SICA, le 13 décembre 1991, lorsque le protocole de Tegucigalpa est adopté. Le système d'intégration centre-américain entre en vigueur le 1er février 1993 et son siège est fixé dans la capitale salvadorienne. Ses promoteurs souhaitent adapter l'ODECA « aux réalités nouvelles afin de pouvoir réaliser l'intégration effective de l'Amérique centrale », tout en défendant « la paix, la démocratie, le développement et la liberté ». Différence d'ambition, le SICA vise, sur le plan politique et social, à consolider la démocratie, assurer le bien-être et la justice sociale mais aussi à faire respecter les libertés publiques. Si l'union économique est un objectif central, la nécessité d'un « nouvel ordre écologique

---

8. L'ONUCA (observateurs militaires en Amérique centrale) et l'ONUVEN (groupe d'observateurs civils au Nicaragua). Par la suite, l'ONU enverra une ONUCA puis une ONUSAL au Salvador et organisera la MINUGUA (mission de vérification des Nations unies au Guatemala).

mondial » est affirmée. Enfin, l'Amérique centrale entend concrétiser un nouveau modèle de sécurité régionale et « consolider son autonomie » vis-à-vis du reste du monde. Au point de vue organique, des moyens nouveaux sont mis au service de ces objectifs (tableau 1). La création d'un secrétariat général chargé de la coordination des décisions prises lors des sommets régionaux et des réunions ministérielles constitue un pas important. Ce secrétariat, dont le titulaire est, depuis le 30 janvier 2009, le Nicaraguayen Juan Daniel Alemán Gurdián, fonctionne avec environ 70 agents et se subdivise en huit secrétariats spécialisés dont le plus important, situé à Guatemala Ciudad, est le secrétariat d'intégration économique centre-américain (Secretaría de Integración Económica Centroamericana, SIECA). Plus significativement, la refonte des institutions régionales a prévu un parlement régional, situé lui aussi à Guatemala, et le maintien de la Cour centre-américaine de justice dont le siège est installé à Managua.

Tableau 1 : Principaux organes de l'ODECA-SICA [9]

ODECA en 1951	ODECA en 1962	SICA en 1991
Organe suprême : réunion éventuelle des présidents	Organe suprême : réunion des présidents	Organe suprême : réunion des présidents
Organe principal : réunion des ministres des Affaires étrangères	Organe principal : réunion des ministres des Affaires étrangères	Organe principal : conseil des ministres
Réunion éventuelle d'autres ministres		Réunion des vice-présidents
Organe permanent : bureau centre-américain	Organe permanent : conseil exécutif	Organes permanents : conseil exécutif et secrétariat général
Conseil économique	Conseil économique	
	Conseil législatif	Parlement centre-américain
	Conseil de défense	
	Conseil culturel et éducatif	
	Cour de justice	Cour de justice
		Comité consultatif

La volonté d'intégration régionale est réelle. Elle est renforcée par l'apparition ou la refonte de regroupements régionaux majeurs en Amérique du Sud (Mercosur, CAN) et, par la perspective d'un rassemblement hémisphérique. S'il existe une proximité apparente avec le modèle européen

---

9. Olivier Dabène, *L'Intégration régionale dans les Amériques. Économie politique de la convergence*, CERI-CNRS, Les Études du CERI, n° 45, septembre 1998, p. 12.

et une ambition supranationale, on demeure dans le cadre de la coopération intergouvernementale. Les États membres du SICA [10] ne prennent aucune décision impliquant réellement une forme de supranationalité. Cette prudence, liée aux conflits récents et à la persistance de contentieux anciens, s'explique aussi par la volonté des nations de conserver des marges de manœuvre en maintenant leurs attributs régaliens. Il s'agit d'une logique de regroupement plus proche du régime régional que du modèle européen.

Effectivité de l'intégration politique?

La recherche d'une intégration combinant des éléments d'intergouvernementalité à une ambition supranationale conduit l'Amérique centrale au risque d'une utilisation limitée de ses instruments d'intégration politique, et au risque parallèle de vouloir compenser ce déficit par un discours volontariste suivi de peu d'effets concrets.

Les difficultés du Parlamento centroamericano (Parlacen) illustrent le premier de ces risques. En instaurant un organe parlementaire collectif, en 1987, les États centre-américains cherchaient à renforcer la construction régionale. Vingt ans plus tard, l'inefficacité de cet instrument est patente : absence de portée de ses décisions sur l'ordonnancement juridique interne des États, coûts de fonctionnement élevés, scandales impliquant des parlementaires, utilisation de cet organe comme alternative ou compensation à des carrières politiques nationales bloquées. Les chefs d'État de la sous-région en sont bien conscients et envisagent la réforme du Parlacen [11].

Plus largement, se pose la question de l'approfondissement du processus centre-américain et de la coordination de ses organes avec les gouvernements des différents pays. La Commission économique des Nations unies pour l'Amérique latine (CEPAL) a souligné, dans une étude commandée par le SICA, certains défauts majeurs de l'organisation. Ainsi, la création d'un cadre juridique commun souffre-t-elle de l'absence de limite temporelle à la ratification des accords. Le Parlacen et la Cour centre-américaine de justice doivent être réformés. Le financement des institutions pose problème et devrait faire l'objet d'un mécanisme automatique. De même, la CEPAL recommande la mise en place de mécanismes nationaux de suivi, de contrôle et d'évaluation des accords d'intégration. Dans un second temps, elle propose un appui à la définition des politiques communes qui pourrait prendre la forme d'un mécanisme de négociation régionale, sur le modèle

---

10. Guatemala, Belize, Salvador, Honduras, Nicaragua, Costa Rica, Panama, auxquels il faut ajouter un État associé : la République dominicaine et trois observateurs, le Mexique, l'Espagne et Taïwan. Si, parmi ces derniers, la présence du Mexique et de l'Espagne s'explique facilement, le premier par la proximité géographique, la deuxième par les liens culturels et historiques, celle de Taïwan est plus singulière et reflète les efforts de la Chine nationaliste pour être reconnue internationalement, parfois au prix de concessions commerciales importantes.

11. Point 30 de la *Déclaration de Guatemala*, XXXIe réunion ordinaire des chefs d'État et de gouvernement du SICA, 12 décembre 2007.

de la « machinerie » de négociation du Caricom [12]. De fait, l'inégale avancée de l'intégration dans les différents pays et l'accumulation des instruments d'intégration au mépris parfois de leur coordination appelle à une réflexion d'ensemble sur la cohérence du système. À défaut, le SICA continuera à fonctionner sur le principe non-écrit d'une « agrégation sans synergie [13] ».

Enfin, la « diplomatie des sommets », avec ce qu'elle comporte de rhétorique, a des effets divers. Elle a permis d'aborder de nombreuses questions autrefois délaissées : migrations internationales, questions environnementales par exemple. Elle offre également l'avantage de dégager des lignes d'actions claires, ce à quoi les opinions publiques sont sensibles. Reste que la nature même des décisions prises lors des sommets fait question. Comme l'indique Marie-Claude Smouts, « la multiplication d'engagements de portée difficile à définir, plus politique que juridique » est « peu propice à la sûreté de la règle internationale [14] ». On peut citer à cet égard les objectifs de l'Alliance centre-américaine pour le développement durable (ALIDES) signés par les présidents de la sous-région en octobre 1994 : l'affirmation de principes tels que le respect de la vie humaine, l'amélioration de la qualité de la vie, la promotion de la paix et de la démocratie, la pluriculturalité et la diversité ethnique ou encore la responsabilité intergénérationnelle représente certes un engagement politique ou moral significatif mais difficile à mettre en œuvre sur le plan pratique ou juridique.

DYNAMIQUE ÉCONOMIQUE ET INERTIE SOCIALE : LE BILAN PARTAGÉ DU MCCA

L'inégale répartition des bénéfices de l'intégration

Le Marché commun centre-américain (Mercado Común Centroamericano, MCCA) est créé le 30 décembre 1960 par le traité de Managua, « traité général d'intégration économique » signé par cinq des sept nations d'Amérique centrale, Panama et Belize restant à l'écart [15]. Inspiré par l'expérience européenne, il vise à mettre en place une union douanière pouvant déboucher sur un marché commun [16]. Il entend également établir une politique commerciale commune et harmoniser les politiques industrielles et fiscales. Une barrière douanière commune est créée pour protéger la production industrielle et favoriser les échanges entre pays membres. Cette décision s'inscrit dans la logique de

12. CEPAL-SICA, *La integración centroamericana : beneficios y costos*, Documentos síntesis, Centroamérica, mai 2004, p. 131.
13. Olivier Dabène, « Existe-t-il une gouvernance régionale multi-niveau dans les Amériques ? », *Visages d'Amérique latine*, n° 3, juin 2006, p. 11.
14. Marie-Claude Smouts (dir.), *Les Nouvelles Relations internationales. Pratiques et théories*, Paris, Presses de Sciences Po, 1998, p. 140.
15. Le Costa Rica adhère formellement en novembre 1962.
16. Si l'on s'en tient aux étapes linéaires de l'intégration proposées par B. Balassa dans les années 1960 : zone de libre-échange/union douanière/marché commun/union économique et monétaire/union politique. Bela Balassa, *The Theory of Economic Integration*, Londres, Allen and Unwin, 1969.

substitution de l'industrialisation aux importations prônée par la CEPAL qui est l'un des conseils du projet. Des organismes communautaires sont créés : secrétariat permanent du traité (SIECA), banque centre-américaine d'intégration économique (Banco Centroamericano de Integración Económica, BCIE), chambre de compensation centre-américaine (Cámara de Compensación Centroamericana, CCCA). Enfin, les signataires instituent une monnaie de compte commune : le peso centre-américain (aligné sur le dollar américain) pour les transactions financières et le commerce régional.

L'intégration économique est d'abord une réussite. Les flux commerciaux entre les cinq États membres sont multipliés par dix pendant la décennie 1960. En 1970, plus du quart des exportations de chacun des membres se fait vers le MCCA. Surtout, et dans l'esprit de la CEPAL, des effets industrialisants apparaissent. Les produits industriels représentent 50 % des échanges intracommunautaires en 1960 et 88 % en 1970. Mais, si le commerce intrarégional est en constante augmentation, passant de 8,3 millions de dollars en 1950 à 310 en 1970, les bénéfices de l'intégration demeurent mal partagés, le Guatemala et le Salvador retirant de l'accord des bénéfices beaucoup plus importants que les autres membres (graphique 1).

Graphique 1 : Répartition du commerce intrarégional en 1970

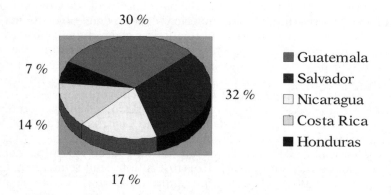

Cette dynamique se heurte ensuite à des obstacles majeurs : guerres internes et évolutions économiques extérieures (développement de la concurrence internationale, remise en cause du modèle d'industrialisation en substitution des importations). Entre le début et la fin de la décennie 1970, la part du commerce intrarégional dans le commerce total de la région commence à décroître. Face tout à la fois à la pression des économies extérieures, notamment américaine et asiatique, à la baisse des revenus liée à la chute des exportations de produits agroalimentaires et de biens manufacturés, aux déficits publics, et bien entendu au contexte politique régional, les gouvernements centre-américains doivent renoncer à la protection de leurs marchés. Le Honduras se retire du MCCA tandis que les autres pays rétablissent tarifs et règlements limitant le libre-échange. À la fin des années 1980, le MCCA se résume de fait à trois pays : Guatemala, Salvador, Costa Rica.

Pourquoi ce retournement de tendance pour l'économie centre-américaine ? En protégeant les industries locales, le MCCA a permis leur développement mais il a aussi introduit des distorsions économiques : exonération d'impôts, absence de concurrence directe et faible compétitivité des produits tant au point de vue du prix que de la qualité. Cette situation était intenable dès lors que le circuit économique s'ouvrait. Or des fuites existaient dès le départ : une « dépendance différente » s'était créée, la sous-région ne disposant pas du capital et des biens intermédiaires nécessaires à sa politique [17].

Comme ailleurs en Amérique latine, les États constatent qu'ils doivent prendre en compte les conséquences économiques de l'internationalisation des échanges et redéfinir leurs stratégies. Il s'agit d'arbitrer dans le dilemme *adentro/afuera*, de choisir entre un développement centré sur la région ou l'ouverture sur le reste du monde. Face à ce qui est en réalité un choix contraint, les pays d'Amérique centrale vont tenter d'appliquer les nouvelles théories de la CEPAL sur le « régionalisme ouvert » pour sauvegarder le processus de construction régionale. En octobre 1993, le traité général d'intégration économique est profondément modifié par le protocole de Guatemala, lors du 14ᵉ sommet des États centre-américains, avec deux objectifs majeurs : développer les échanges intracommunautaires et développer parallèlement les échanges avec le reste du monde. Ce protocole prévoit une union économique progressive pouvant aller jusqu'à l'union économique et monétaire. Il prévoit également une structure politique et administrative rénovée qui est incorporée au SICA. À un conseil des ministres de l'Économie s'ajoutent quatre secrétariats permanents : le SIECA, le secrétariat du conseil monétaire (Secretaría del Consejo Monetario Centroamericano, SCMCA), le secrétariat à l'intégration touristique (Secretaría de Integración Turística Centroamericana, SITCA) et le secrétariat du conseil agricole (Secretaría del Consejo Agropecuario, SCA). Trois institutions sont réintégrées dans ce système : outre la BCIE, l'Institut centre-américain d'administration publique (Instituto Centroamericano de Administración Pública, ICAP) et l'Institut de recherche et de technologie industrielle (Instituto Centroamericano de Investigación y Tecnología Industrial, ICAITI) [18].

Le processus d'intégration est donc relancé et va bénéficier de l'amélioration de la situation politique de l'Amérique centrale. Le commerce intrarégional passe d'environ 20 % des exportations de la zone en 1995 à près de 30 %

17. Carlos Roberto Pérez, « Caso sistema de la integración centroamericana », dans *Centroamérica y otras experiencias internacionales de integración*, San Salvador, SG-SICA, 2006, p. 212.
18. *Protocole de Guatemala*, 14ᵉ sommet des présidents d'Amérique centrale, Guatemala, 29 octobre 1993 (disponible sur www.sieca.org.gt).

en 2005. Cette évolution est d'autant plus notable qu'elle intervient dans un contexte de chute des prix des produits de base, en particulier celui du café, qui touche fortement les économies locales. En 2005, les échanges intrarégionaux atteignaient 3 153 millions de dollars, soit une augmentation de 1 200 millions de dollars par rapport à 1999. Au total, 8 000 entreprises, dont 75 % de PME, travaillaient pour le marché commun et employaient, directement ou indirectement, 2 millions de Centre-américains [19].

Cependant, les asymétries régionales demeurent. Comme dans les années 1970, Guatemala et Salvador, auxquels s'ajoute le Costa Rica, bénéficient largement des échanges (tableau 2). En revanche, le Honduras se trouve le plus mal placé du fait d'importations élevées. Le solde des balances commerciales – dans le cadre des échanges intra-communautaires – reflète les différentes performances des États. Alors que sur la période 1994-2005, le Guatemala a toujours un solde positif, variant de 265 à 326 M$, le Salvador, le Honduras et le Nicaragua sont pénalisés par des déficits structurels (respectivement, 62, 212 et 235 M$ en moyenne annuelle).

En outre, les industries agroalimentaires sont toujours très protégées, en particulier en ce qui concerne les deux produits majeurs que sont le sucre et le café. Le secteur agroalimentaire n'est donc pas aussi ouvert que le souhaitent les accords multilatéraux, ce qui pénalise les pays les plus pauvres.

Tableau 2 : Part de chaque pays dans le commerce centre-américain 2007 [20] (en milliers de pesos centre-américains)

Pays	Exportations	Importations	Exportations	Importations
Guatemala	1 871 099	1 294 736	35,87 %	25,03 %
Salvador	1 201 015	1 335 850	23,02 %	25,82 %
Honduras	494 660	1 291 534	9,48 %	24,97 %
Nicaragua	435 757	773 570	8,35 %	14,95 %
Costa Rica	1 214 516	477 368	23,28 %	9,23 %
MCCA	5 217 047	5 173 057	100 %	100 %

Au niveau des échanges globaux de la région, le commerce intrarégional reste minoritaire, les principaux partenaires des pays centre-américains étant les États-Unis [21] (graphiques 2 et 3). L'évolution des exportations globales avait été marquée par la progression des flux intrarégionaux et un relatif recul des exportations en direction des États-Unis (au demeurant toujours situées

19. Haroldo Rodas, « Experiencias de integración en el mundo : situaciones y perspectivas. Caso centroamericano », dans *Centroamérica y otras experiencias internacionales de integración, op. cit.,* p. 111.
20. Source : *Bulletin statistique,* n° 16-1, SIECA, 29 janvier 2008 (sur la base des données des banques centrales des pays membres).
21. Commission économique des Nations unies pour l'Amérique latine, *Integración regional e integración con Estados Unidos. El rumbo de las exportaciones centroamericanas y de República dominicana,* Mexico, CEPAL, 11 décembre 2007.

aux alentours de 40 % du total). Mais cette tendance a marqué le pas depuis 2001, la baisse des prix internationaux des principaux produits relançant la demande externe. Du côté des importations, les flux sont relativement statiques, bien qu'une évolution favorable aux fournisseurs non-américains et non-européens soit observable depuis quelques années, au bénéfice des pays asiatiques.

Graphique 2 : Exportations centre-américaines (1994-2005)

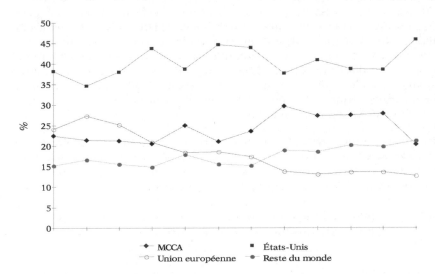

Graphique 3 : Importations centre-américaines (1994-2005)

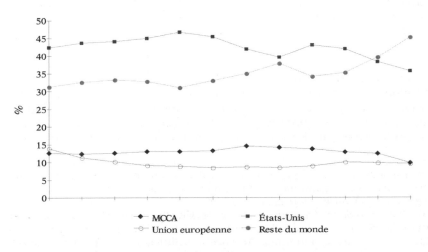

Une incidence limitée sur les questions sociales

Exception faite des années de guerres internes marquées par la division du regroupement régional, le MCCA aura globalement bénéficié à l'Amérique centrale. Aujourd'hui, on constate une certaine stabilité macroéconomique et une croissance soutenue, tout en restant bien inférieure à celle des dragons asiatiques. Sur la période 1960-2005, la sous-région aura ainsi connu un taux de croissance moyen de 3,9 % [22].

Pour autant, les indicateurs sociaux de la zone continuent de se situer parmi les plus mauvais de l'Amérique latine [23]. La croissance économique n'a pas amélioré le chômage, le sous-emploi ou l'emploi précaire. En 2000, le travail informel touchait 40 % de la population centre-américaine, perpétuant les emplois non-qualifiés, à faible productivité et faibles revenus. Autre indicateur défavorable, l'illettrisme concerne 21,7 % des Centre-américains âgés de 15 à 64 ans (2000). La pauvreté reste particulièrement élevée dans la sous-région. Certes, des progrès ont été réalisés depuis le début des années 1990, le taux de pauvreté des 28 millions de Centre-américains passant de 60 % à 50,8 % (2001) mais, dans le même temps, la plupart des pays latino-américains se situaient largement en dessous de ce niveau. Seuls le Panama et le Costa Rica sont parvenus à dépasser le niveau de PIB par personne enregistré à la fin des années 1970. La différence des indices de développement humain et de PIB/habitant illustre les situations observables dans la sous-région (tableau 3). Mais au-delà des seules statistiques sociales (éducation, accès aux soins médicaux), des facteurs économiques et institutionnels séparent Panama et Costa Rica des autres États de l'isthme.

Tableau 3 : IDH et PIB/habitant en Amérique centrale [24] (2005)

Pays	IDH	PIB/habitant
Guatemala	0,689	4 568
Honduras	0,700	3 430
Salvador	0,735	5 255
Belize	0,778	7 109
Nicaragua	0,710	3 674
Costa Rica	0,846	10 180
Panama	0,812	7 605

22. Dominique Desruelle et Alfred Schipke, *América central : crecimiento económico e integración*, Occasional paper 257, Washington, FMI, 2007, p. 10.
23. CEPAL-SICA, *La integración centroamericana : beneficios y costos*, Documentos síntesis, Centroamérica, mai 2004, pp. 45-60.
24. Programme des Nations unies pour le développement, *Rapport mondial sur le développement humain 2007-2008* (www.undp.org). L'IDH est un indice composite prenant en compte des indicateurs d'éducation, d'espérance de vie et de richesse. Entre 0,502 et 0,800, le PNUD estime le développement humain « moyen » ; au-delà, il est « élevé ». Les PIB/habitant sont exprimés en dollars américains.

Conséquence de ces problèmes sociaux, l'Amérique centrale connaît une importante migration vers l'extérieur (Mexique, États-Unis). Il existe aussi une migration sous-régionale que les avancées de l'intégration n'ont pas épuisée. Au contraire, celle-ci reflète les asymétries centre-américaines puisque, parmi les 348 000 personnes ayant migré au sein de la sous-région, 59 % ont décidé de s'installer au Costa Rica.

Si les réponses à apporter à toutes ces difficultés ne relèvent pas nécessairement des politiques publiques menées par les pays du SICA, on doit s'interroger sur la relative absence de mesures sociales dans les décisions des pays membres [25]. L'argument selon lequel les progrès économiques induits par l'ouverture de la sous-région, par son respect des équilibres budgétaires et des normes commerciales internationales n'est pas sans portée mais est-il suffisant ? En s'orientant davantage, le cas échéant, vers une intégration proche du modèle de « gouvernance globale » nord-américaine, les États de la zone favoriseraient ce type d'approche. Des politiques publiques centrées sur certains secteurs clés pourraient néanmoins, dans une perspective plus interventionniste et sur la base des instruments d'intégration existants, favoriser une résolution de long terme des problèmes sociaux. Les décisions prises par le SICA dans les années à venir seront décisives, en ce qu'elles orienteront les pays vers un modèle de société ou un autre. À cet égard, l'exemple des pensions est significatif : alors qu'elles constituent une possibilité de redistribution de la richesse nationale, le FMI préconise de réformer les systèmes locaux (augmentation de l'âge de la retraite, diminution des prestations) au titre de l'efficience économique [26]. Dans ce domaine, la décision de suivre ou non ce type de recommandations ne sera pas neutre en termes sociaux.

Les États membres du SICA sont conscients de l'importance de ces arbitrages. C'est du moins ce qui ressort de leurs engagements récents en faveur des objectifs du millénaire établis par les Nations unies [27] et en faveur de la cohésion sociale lors du sommet UE/ALC de Guadalajara.

En ce qui concerne les questions environnementales, les pays de l'isthme affirment également un certain volontarisme. Ils ont défini un cadre stratégique visant à réduire le nombre des victimes des désastres naturels à 25 % des chiffres observés lors des catastrophes des dernières années. À l'occasion du sommet de Guatemala, organisé à la suite de l'ouragan Mitch,

---

25. Sans oublier que les gouvernements de la décennie 1990 étaient plutôt libéraux/conservateurs.

26. D. Desruelle et A. Schipke, *América central : crecimiento económico e integración*, *op. cit.*, p. 4.

27. Lors du sommet du Millénaire, en septembre 2000, 189 nations se sont engagées à atteindre d'ici 2015 huit objectifs du millénaire pour le développement (OMD). Il s'agit d'éliminer l'extrême pauvreté, d'assurer l'éducation primaire pour tous, de promouvoir l'égalité et l'autonomisation des femmes, de réduire la mortalité infantile, d'améliorer la santé maternelle, de combattre le VIH/sida, le paludisme et d'autres maladies, d'assurer un environnement durable et de mettre en place un partenariat mondial pour le développement (www.undp.org).

un « quinquennat centre-américain pour la réduction des vulnérabilités » a ainsi été annoncé par les présidents d'Amérique centrale [28].

Approfondir l'intégration pour améliorer les performances économiques : la perspective de l'union douanière

Rituellement, les conclusions des sommets centre-américains font état des avancées réalisées en matière d'union douanière [29]. Le 12 décembre 2007, les chefs d'État de la sous-région se sont ainsi félicités de l'approfondissement du processus d'intégration « par le biais de la constitution, de manière graduelle et progressive, d'une union douanière » [30]. Ils sont cependant allés (un peu) plus loin en signant un accord-cadre d'union douanière, qui reste un texte généraliste.

Si l'ambition de parvenir à l'union douanière a été annoncée dès 1960, ce n'est qu'en 1993 qu'elle a été relancée (article 15 du protocole de Guatemala). Sans surprise, ce sont le Guatemala et le Salvador qui ont cherché à avancer le plus rapidement, en signant un accord-cadre en 2000, tandis que le Nicaragua et le Honduras restaient en retrait. Les choses se sont accélérées en 2002 avec l'approbation par les présidents centre-américains d'un plan d'action pour l'union douanière (24 mars) et l'incorporation du Costa Rica au processus d'union douanière (20 juin). L'accord-cadre de 2007 constitue donc une avancée supplémentaire mais où en est concrètement l'union douanière, notamment en ce qui concerne trois de ses éléments principaux : la libre-circulation des biens, le tarif extérieur commun et l'harmonisation des législations douanières ?

La libre-circulation des biens n'est pas encore complète : lors de l'adoption du traité d'intégration, certains produits avaient été écartés de la libéralisation. Depuis, les États centre-américains s'efforcent de réduire leur nombre mais avec difficulté. En juin 2006, ils sont parvenus à libéraliser le commerce des boissons alcoolisées et des dérivés du pétrole [31]. Cependant, la circulation de produits sensibles pour l'équilibre économique de chaque nation, tels que le sucre, le café torréfié et non-torréfié, n'est pas encore libre entre les pays de l'isthme [32].

---

28. Oscar Alfredo Santamaría, « Experiencias de integración en el mundo : situaciones y perspectivas. Caso Centroamérica », dans *Centroamérica y otras experiencias internacionales de integración, op. cit.*, p. 126. Reste qu'une partie des fonds envoyés après l'ouragan Mitch a fait l'objet de détournements divers.
29. Afin de mettre en œuvre un marché commun, l'établissement de l'union douanière est essentiel : il permet la création d'un espace au sein duquel les échanges sont libres et qui reste séparé des pays tiers par une frontière commune, laquelle limite un territoire douanier défini par un tarif extérieur commun (TEC).
30. *Déclaration de Guatemala*, 31ᵉ réunion ordinaire des chefs d'État et de gouvernement des pays du système d'intégration centre-américaine, Guatemala, 12 décembre 2007 (disponible sur www.sieca.org.gt).
31. Sauf entre le Honduras et le Salvador pour ces deux catégories de produits.
32. Secretaría de Integración Económica Centroamericana, *La Unión aduanera centroamericana*, Guatemala, SIECA, juillet 2007. De même pour les paragraphes suivants. En ce qui concerne la libre-circulation des personnes, le CA-4 (Guatemala, Salvador, Honduras, Nicaragua) a créé un passeport centre-américain unique en mars 2005. Parallèlement, un visa unique a été annoncé, pour l'entrée des étrangers.

Le système tarifaire sous-régional (Sistema Arancelario Centroamericano, SAC) compte 6 194 catégories de produits. En 2007, plus de 94 % de cet ensemble avait fait l'objet d'une harmonisation. Mais des produits importants n'étaient pas inclus dans l'accord : médicaments, métaux, produits pétroliers, produits agricoles notamment. En ce qui concerne les barrières non tarifaires, le SICA a lancé une procédure d'homologation des produits et de normalisation des mesures sanitaires et phytosanitaires qui commence à donner des résultats (469 produits avaient été identifiés et exemptés d'autorisation d'importation en juillet 2007).

Le code douanier uniformisé d'Amérique centrale (Código Aduanero Uniforme Centroamericano, CAUCA) est entré en vigueur depuis mai 2006 et le comité douanier des pays membres du SICA a élaboré ses normes d'application. Un manuel de procédures douanières uniques est en cours de mise en œuvre dans l'ensemble des douanes de la sous-région. Reste cependant à harmoniser les règles applicables aux fonctionnaires des douanes, aux cas de contrebande et de fraude et aux modes de contrôles douaniers.

En dépit de la volonté affichée par les gouvernements, la progression de l'union douanière reste difficile. Cela tient en partie à la difficulté de libéraliser la circulation de produits similaires. Mais cela tient aussi aux lenteurs administratives d'harmonisation des réglementations. Enfin, pour les États, la levée des droits représente une perte en termes de revenus et donc de difficiles arbitrages : soit un moindre investissement public, alors que la demande sociale demeure très élevée, soit le transfert de la charge fiscale vers d'autres contributeurs. Là encore, des choix de politiques publiques devraient intervenir, ce qui n'est pas le cas à l'heure actuelle.

ACCORDS DE LIBRE-ÉCHANGE ET RELATIONS INTERRÉGIONALES : LE RENFORCEMENT PAR L'OUVERTURE ?

Conséquence de l'échec du modèle de développement interne, l'ouverture au monde s'est imposée aux États centre-américains comme la meilleure façon, sous réserve qu'elle soit équilibrée, de rendre leurs économies concurrentielles. Conséquence par ailleurs de l'absence de libéralisation globale des marchés, ces États ont, comme leurs homologues d'Amérique du Sud, opté pour le « régionalisme ouvert ». Ce choix réaliste devrait leur être profitable. Il s'agit en effet, comme l'écrit Carlos Quenan à propos de l'intégration andine, de « (…) l'engagement de concevoir des accords d'intégration qui, au lieu d'être des instruments destinés à mettre en place à l'échelle régionale – à l'abri de barrières douanières extérieures élevées – une industrialisation de substitution aux importations, pourront stimuler le commerce international et contribuer à l'insertion des pays du Sud dans les marchés mondiaux [33] ». Mais si l'Amérique centrale mise sur cette ouverture au libre-échange, elle construit parallèlement une relation interrégionale plus ambitieuse avec l'Union européenne.

---

33. Carlos Quenan, « La Communauté andine des Nations : entre tentatives de relance et crises récurrentes », *Cahiers des Amériques latines*, n° 50, janvier 2007, p. 93.

Risques et opportunités de la multiplication des accords de libre-échange

Possédant l'une des économies les plus solides de la sous-région, le Costa Rica a, dès le début des années 1990, misé sur l'ouverture internationale. C'est cette impulsion, et en particulier la réussite de l'accord Costa Rica/ Mexique, qui a poussé les autres États du MCCA à rechercher à leur tour des accords de libre-échange (tableau 4).

Tableau 4 : Les accords de libre-échange [34]

Accords négociés :	
5 avril 1994	Accord de libre-échange entre le Costa Rica et le Mexique
13 septembre 1997	Accord de complémentarité économique entre l'Amérique centrale et la Chine
16 avril 1998	Accord de libre-échange entre l'Amérique centrale et la République dominicaine
1er juillet 1998	Accord de libre-échange entre le Nicaragua et le Mexique
18 octobre 1999	Accord de libre-échange entre l'Amérique centrale et le Chili
29 juin 2000	Accord de libre-échange entre les pays du « Triangle Nord » (Guatemala, Honduras, Salvador) et le Mexique
23 avril 2001	Accord de libre-échange entre le Costa Rica et le Canada
14 mars 2003	Accord de libre-échange entre le Costa Rica et le Caricom
5 août 2004	Accord de libre-échange entre l'Amérique centrale et les États-Unis
31 août 2005	Accord de libre-échange entre le Guatemala et Taïwan
Accords en cours de négociation :	
	Zone de libre-échange des Amériques
	Accord de libre-échange entre l'Amérique centrale et le Canada
	Accord de libre-échange entre l'Amérique centrale et le Panama
	Accord de libre-échange avec la Corée du Sud

Si elle s'inscrit dans la tendance mondiale de croissance des relations commerciales internationales, cette évolution ne va pas sans risques pour des pays dont les moyens d'action sont faibles.

---

34. Source : www.sieca.org.gt

Certes, la théorie classique, depuis Ricardo, postule l'opportunité de l'échange international, notamment pour les petites économies. Sylvie Dugas rappelle que dans le cas d'un libre-échange asymétrique « l'économie riche doit dynamiser l'économie pauvre, en premier lieu par ses échanges commerciaux et ses investissements » [35]. Les avantages de l'économie pauvre (coût de la main-d'œuvre, matières premières le cas échéant) lui permettent de gagner des parts de marché chez son partenaire : c'est ce qui s'est passé, par exemple, pour le Salvador dont les exportations vers le Mexique ont doublé suite à l'accord de libre-échange, passant de 13,4 millions de dollars en 2000 à 24,6 millions de dollars en 2001. De même, l'économie pauvre peut bénéficier des investissements directs étrangers (IDE) et des transferts en capital et en équipements qui les accompagnent.

Mais ces transformations ne débouchent pas nécessairement sur des bénéfices en termes de développement. S. Dugas cite à cet égard le prix Nobel d'économie Joseph Stiglitz selon lequel le libre-échange entre économies asymétriques « a des conséquences tout autant asymétriques et inégales [36] ». Le Plan Puebla-Panamá (PPP) lancé en juin 2001 par le président mexicain Vicente Fox et les présidents d'Amérique centrale illustre cette difficulté. Financé par la Banque interaméricaine de développement (BID), ce projet s'appuie sur l'amélioration des infrastructures routières, l'apport d'électricité et les télécommunications pour favoriser l'intégration économique de l'Amérique centrale avec le sud du Mexique, en misant sur l'agro-exportation, le tourisme ou les *maquiladoras* pour provoquer le décollage de la région. Pourtant, il se heurte à une forte résistance de la part des populations locales, surtout rurales, qui ne disposent pas d'une capacité d'adaptation rapide à un nouvel environnement économique et craignent que le Plan Puebla-Panamá n'aboutisse à des dommages environnementaux majeurs [37]. Le groupe ethnique *lenca*, par exemple, s'oppose au complexe hydro-électrique d'El Tigre, qui menacerait l'existence de plusieurs dizaines de localités indigènes à la frontière Honduras-Salvador.

De plus, dans la perspective d'intégration continentale ouverte par les sommets des Amériques, le Plan Puebla-Panamá peut apparaître comme un instrument servant les intérêts à long terme des États-Unis. Pour Luis Arnoldo Rubio, « le PPP ne peut être dissocié du projet des États-Unis, qui cherchent par l'instauration de la Zone de libre-échange des Amériques (ZLEA) à rapprocher les pays du continent (...). De fait, le PPP répond plus aux intérêts stratégiques des États-Unis (...) qu'au renforcement de

35. Sylvie Dugas, « Les accords de libre-échange en Amérique centrale : un passage vers la constitution de la ZLEA ? », Observatoire des Amériques, CEIM-Université du Québec, décembre 2002 (disponible sur www.ceim.uqam.ca).

36. S. Dugas, « Les accords de libre-échange en Amérique centrale : un passage vers la constitution de la ZLEA ? », *op.cit.*

37. Xavier de La Vega, « El plan de la discordia », *D'Orbigny. Miradas cruzadas de Europa y América latina*, n° 5-6, décembre 2006, pp. 30-34.

l'intégration régionale centre-américaine » [38]. Est-ce vraiment le cas ? Si l'on peut considérer que, non seulement le développement infrastructurel prévu par le Plan Puebla-Panamá, mais également tous les TLC bilatéraux conclus dans le continent américain sont des processus préparant une éventuelle ZLEA, on doit néanmoins constater que ce dernier projet est bloqué depuis plusieurs années et que la multiplication des TLC conduit à une multiplication de règles bilatérales et d'exceptions qui ne sont pas de nature à faciliter un passage mécanique à une intégration de la région dans son ensemble [39].

Des intérêts bien compris : la relation Union européenne/Amérique centrale

Les interventions des institutions européennes et de certains États membres de l'UE pour faciliter le règlement de la crise centre-américaine dans les années 1970-1980 ont créé la base sur laquelle s'est construite la relation interrégionale. C'est en effet à partir du dialogue de San José que s'engage l'aide européenne à la sous-région et que se fonde un mécanisme de consultations multiforme [40] (gouvernemental, parlementaire, diplomatique). Au cours de ces rencontres régulières, le processus de San José permet d'aborder le sujet de la facilitation commerciale mais aussi des thèmes politiques – démocratisation, droits de l'homme, narcotrafic – et des questions de développement – lutte contre la pauvreté, contre les désastres naturels.

Si cette relation est nécessairement asymétrique, elle répond aux intérêts bien compris de chaque partenaire. Pour l'UE, il s'agit de promouvoir une vision multipolaire du monde basée sur un modèle assez proche du sien. La construction d'une relation globale, allant au-delà de la fluidification des échanges commerciaux pour établir un dialogue politique et de coopération, répond à cette volonté. Le fait que l'intégration centre-américaine ait développé de nombreuses institutions potentiellement porteuses de supranationalité, à l'image de l'UE, contribue à faciliter cette approche. Pour l'Amérique centrale, l'UE représente un modèle d'intégration et, plus directement, une opportunité d'échapper à la tutelle nord-américaine tout en bénéficiant des programmes européens.

_____

38. Luis Arnoldo Rubio, « L'intégration centre-américaine : entre le modèle européen et le modèle nord-américain », dans Sebastian Santander (coord.), *Globalisation, gouvernance et logiques régionales dans les Amériques*, Cahiers du GELA-IS, n° 3, Paris, L'Harmattan, 2004, p. 136.
39. Le projet de Zone de libre-échange des Amériques (ZLEA) a été lancé en 1994, lors du 1er sommet des Amériques, à l'initiative des États-Unis. D'inspiration libérale, la ZLEA devait intervenir en 2005. Le projet originel a été modifié dans une perspective plus sociale lors des sommets suivants, notamment sous l'impulsion du Brésil. Sa mise en œuvre est suspendue depuis plusieurs années.
40. Entamé en 1984 à San José de Costa Rica, le dialogue de San José représente la principale plate-forme de dialogue politique entre l'Union européenne et l'Amérique centrale. Créé pour soutenir le processus de paix et la démocratisation, ce dialogue a été étendu aux questions de développement économique et social.

C'est sans doute du fait de ces intérêts complémentaires que la relation Union européenne/Amérique centrale a pu fonctionner alors même que le processus bi-régional UE/ALC peine à trouver son rythme [41].

La relation Union européenne/Amérique centrale se fonde sur l'accord-cadre régional de coopération au développement signé par les six pays centre-américains et la Commission européenne en 1993 puis entré en vigueur en 1999. En décembre 2003, un nouvel accord portant sur le dialogue politique et la coopération a été signé. Selon les deux parties, ce nouveau pas ouvre la voie à un futur accord d'association, qui reste leur principal objectif stratégique. Mais, pour l'UE, la perspective de l'accord d'association reste conditionnée au renforcement de l'intégration régionale en Amérique centrale.

C'est pourquoi l'Union européenne a progressivement limité ses secteurs d'intervention. Alors que le soutien à l'intégration régionale ne représentait que 5 % de l'aide versée au cours de la période 1984-2000, la stratégie régionale 2002-2006 lui a consacré 40 millions d'euros sur 74,5 millions d'euros d'aide totale (aide à la mise en œuvre de politiques communes et à la consolidation institutionnelle [42]). La stratégie régionale 2007-2013 établit des objectifs similaires : renforcement du système institutionnel aux fins de l'intégration de l'Amérique centrale, renforcement de l'intégration économique régionale, renforcement de la sécurité régionale [43]. Cette aide, destinée aux institutions du SICA, s'établit à 75 millions d'euros. Mais elle n'est pas exclusive des programmes bilatéraux menés par la commission avec chacun des pays de la zone, qui répondent à des nécessités spécifiques et permettent d'arriver à un montant total d'aide de l'ordre de 840 millions d'euros (tableau 5).

Parallèlement, les deux régions envisagent un accord de libre-échange, qui éveille sans doute plus d'intérêt du côté centre-américain que du côté européen : si les échanges avec l'UE représentent 8,9 % du total des importations et des exportations de l'Amérique centrale, pour l'UE les échanges avec l'Amérique centrale ne s'élèvent qu'à 0,3 % de ses échanges totaux. Le bénéfice de ces relations est mal réparti : le Costa Rica en tire

---

41. Pour S. Sberro, « le sommet de Vienne en 2006 a marqué l'échec d'un lien bilatéral institutionnalisé entre l'Europe et l'Amérique latine », les thèmes de travail annoncés à Madrid en 2002 (multilatéralisme et intégration régionale) puis à Guadalajara en 2004 (cohésion sociale) ne débouchant pas sur des mesures concrètes, à l'exception du programme Eurosocial. Stephan Sberro, « Existe-t-il une relation stratégique entre l'Amérique latine et l'Europe ? », *Problèmes d'Amérique latine*, n° 66-67, automne-hiver 2007, p. 183.
42. Commission européenne, *Amérique centrale. Document de stratégie régionale 2007-2013*, Bruxelles, mars 2007, p. 16 (document E/2007/481, disponible sur www. ec.europa.eu/external_relations/ca).
43. Commission européenne, *Amérique centrale. Document de stratégie régionale 2007-2013*, *op. cit.*, p. 22. Si le renforcement de la sécurité régionale correspond à une demande des gouvernements centre-américains préoccupés par la diffusion de la violence liée au narcotrafic et au phénomène des *maras*, il s'oppose de fait aux objectifs de libre-circulation des biens, des capitaux et des personnes liés à l'instauration d'une union douanière et d'un marché commun.

avantage puisque 64 % des importations communautaires en provenance d'Amérique centrale sont originaires de ce pays. Autre intérêt pour l'Amérique centrale : elle peut s'appuyer sur le Système de préférences généralisées (SPG) mis en place par l'UE depuis 1990 qui permet à ses exportations agricoles et industrielles d'être exemptées de droits [44]. Elle recherche, enfin, la mise en place d'un fonds compensatoire, sur le modèle des FED européens, destiné à réduire les asymétries mais financé par la seule UE.

Tableau 5 : Programmes bilatéraux UE/Amérique centrale (2007-2013)

Pays	Montant de l'aide	Contenu des programmes – points principaux
Costa Rica	34 M€	cohésion sociale/intégration régionale
Salvador	121 M€	cohésion sociale/sécurité humaine/croissance économique/intégration régionale
Guatemala	135 M€	cohésion sociale/sécurité humaine/commerce/intégration régionale
Honduras	223 M€	cohésion sociale/santé, éducation/désastres naturels/pauvreté/sécurité publique
Nicaragua	214 M€	gouvernance/consolidation de la démocratie/éducation/intégration économique
Panama	38 M€	cohésion sociale/intégration régionale

Pourtant, en dépit de ces efforts et des engagements répétés des deux régions en faveur d'un accord d'association prenant en compte les trois piliers politique, commercial et de coopération [45], plusieurs difficultés freinent l'approfondissement de la relation. L'UE reproche aux gouvernements centre-américains leur « manque d'engagement politique et de volonté pour approfondir l'intégration régionale ». Elle dénonce la « médiocrité des capacités de coopération interétatique » et le « manque de moyens financiers en faveur de l'intégration régionale ». De leur côté, les acteurs centre-américains, notamment au sein de la société civile, sont préoccupés par l'insuffisance du SPG+, par les mesures de protection sanitaire et phytosanitaire mises en place par l'UE et par la politique européenne en matière d'immigration. Enfin, la politique agricole commune est perçue comme protectionniste, ainsi que le régime particulier octroyé aux pays ACP en matière d'importation de bananes [46].

---

44. Commission européenne, *Amérique centrale. Document de stratégie régionale 2007-2013, op. cit.*, p. 5. Le SPG drogue a été remplacé en 2005 par le SPG+.

45. En mai 2008, les représentants des deux régions ont rappelé leur objectif commun de faire avancer les négociations en vue d'un accord d'association « pour qu'elles puissent s'achever dans le courant de 2009 ». Communiqué conjoint du sommet entre la Troïka de l'UE et l'Amérique centrale, Lima (Pérou), 17 mai 2008 (document disponible sur www.consilium.europa.eu/newsroom).

46. Commission européenne, *Amérique centrale. Document de stratégie régionale 2007-2013, op. cit.*, p. 24 et p. 20.

LE CAFTA : LES ENJEUX D'UN RÉGIONALISME ÉLARGI FONDÉ SUR UNE APPROCHE NORD-AMÉRICAINE DE TYPE « GOUVERNANCE GLOBALE »

La « gouvernance globale », ou « gouvernance régionale » dans le cas qui nous occupe, s'appuie sur l'idée qu'il est aujourd'hui « possible et nécessaire de gouverner, à l'intérieur des nations et au plan mondial, en associant directement les acteurs de la "société civile" à la gestion collective ». Conséquence de ce postulat, il ne convient pas de s'en remettre à l'État – ou à des institutions dérivées du modèle étatique – pour déterminer les relations entre des parties. Il convient, au contraire, « d'explorer les formes de gouvernement *ne reposant pas sur la coercition* mais sur une logique contractuelle de règlement des conflits ». Au plan économique, il s'agit de rechercher « une meilleure autorégulation des marchés fondée sur la logique du contrat et de l'autodiscipline des acteurs » [47].

Cette logique préside au projet de ZLEA défendu par Washington : contenu exclusivement commercial de l'accord, objectif de libéralisation des échanges, peu d'institutions communes, la plus importante demeurant l'organe de règlement des différends. Elle a également présidé à la réalisation de l'accord de libre-échange passé entre l'Amérique centrale et la République dominicaine d'une part et les États-Unis d'autre part. C'est en mars 1997 que la proposition d'un tel accord est apparue, au moment où les préférences accordées par l'Initiative pour le bassin des Caraïbes (ICB) tendaient à s'essouffler. La même année, les présidents centre-américains réaffirmaient leur engagement à travailler à la mise en œuvre de la ZLEA [48]. C'est donc en toute connaissance des enjeux d'un accord avec les États-Unis – en termes de modèle d'intégration – que les responsables centre-américains ont progressé dans leurs négociations avec Washington.

Ces négociations, menées en 2003 et 2004, ont abouti à un accord de libre-commerce entre les États-Unis et les pays centre-américains : le CAFTA [49]. Signé en août 2004, l'accord a ensuite été ratifié par les parlements des pays centre-américains, à l'exception du Costa Rica qui a suivi la procédure plus lourde du référendum [50]. Le choix costaricien n'est pas anodin : il reflète les tensions provoquées dans la société civile par la passation de l'accord (tensions qui existent également dans les autres pays de l'Amérique centrale). Le président Oscar Arias et la communauté d'affaires défendaient le traité au motif qu'il favorisait les exportations, notamment de vêtements et de sucre, vers les États-Unis et offrait de nombreuses possibilités d'emploi. Cependant, d'autres secteurs craignaient

47. G. Kébabdjian, « Economie politique du régionalisme : le cas euro-méditerranéen », *op.cit.*, p. 172. De même pour les deux citations précédentes.
48. Déclaration du 20 mai 1997, sommet de San José de Costa Rica.
49. Ou DR-CAFTA si l'on inclut la République dominicaine dans le sigle. Sont membres du DR-CAFTA : les États-Unis, le Guatemala, le Honduras, le Nicaragua, le Salvador, le Costa Rica et la République dominicaine. En dépit de son intégration au SICA, le Panama n'en fait pas partie.
50. L'accord est entré en vigueur en 2006 pour le Guatemala, le Honduras, le Salvador et le Nicaragua, en 2007 pour la République dominicaine et le 1er octobre 2008 pour le Costa Rica.

pour les productions agricoles, en particulier le riz [51]. Sur le fond, l'accord de libre-échange entre les États-Unis et l'Amérique centrale vise à faciliter et à renforcer leurs relations commerciales. Ses objectifs sont les suivants:
– stimuler l'expansion et la diversification du commerce,
– éliminer les obstacles au commerce,
– promouvoir les conditions d'une concurrence loyale,
– augmenter les opportunités d'investissement,
– protéger les droits de propriété intellectuelle,
– créer des procédures pour gérer l'accord et solutionner les différends,
– établir des lignes de coopération bilatérale, régionale et multilatérale [52].

Quels effets économiques et sociaux pour l'Amérique centrale ?

En passant d'un accès préférentiel au marché nord-américain, via l'IBC ou le SPG, à un accord de caractère permanent, les pays centre-américains espèrent d'abord un meilleur accès à leur principal marché d'exportation et une augmentation des investissements étrangers. C'est bien le sens du CAFTA qui vise à éliminer les barrières tarifaires et non-tarifaires entre les partenaires. L'accord réduit les droits pour tous les produits non-agricoles et non-textiles exportés par l'Amérique centrale vers les États-Unis. Dans l'autre sens, ce sont près de 80 % des produits non-agricoles et non-textiles exportés par les États-Unis en Amérique centrale qui bénéficient de réductions tarifaires.

Pourtant de nombreuses – et importantes – restrictions demeurent. En ce qui concerne les produits agricoles et textiles, les principaux pour l'Amérique centrale, le CAFTA prévoit un meilleur accès au marché nord-américain mais dans des proportions plus limitées que ce qu'espéraient les Centre-américains. Les droits appliqués à ces produits, notamment agricoles (sucre, maïs, viande, produits laitiers), seront réduits graduellement dans une période de 5 à 20 ans durant laquelle les productions nord-américaines resteront protégées par des tarifs douaniers élevés. Pour les produits textiles, l'avancée la plus significative tient à l'assouplissement des normes d'origine mais ils doivent être fabriqués à partir de composants locaux (ou en provenance des États-Unis). Enfin, le CAFTA intègre des dispositions relatives aux flux d'investissements et aux services financiers, aux marchés publics, aux droits de propriété intellectuelle et aux politiques de la concurrence [53].

---

51. Sylvie Dugas, « Le libre-échange au cœur des résultats serrés des élections costaricaines », *Chronique des Amériques*, n° 7, février 2006. Observatoire des Amériques, université du Québec (www.ceim.uqam.ca).
52. CEPAL, *Integración regional e integración con Estados Unidos. El rumbo de las exportaciones centroamericanas y de República dominicana*, Mexico, CEPAL, 11 décembre 2007, p. 20.
53. Ayhan Kose, Alessandro Rebucci et Alfred Schipke, « Las consecuencias macroeconómicas del CAFTA-DR », dans Markus Rodlauer et Alfred Schipke, *América central: integración mundial y cooperación regional*, Washington, FMI, occasional paper 243, 2005, pp. 7-8.

Que faut-il attendre de cet accord ? Le CAFTA aura-t-il pour les États centre-américains les effets qu'a eus l'accord de libre-échange d'Amérique du Nord (North America Free Trade Agreement, NAFTA) pour le Mexique ? Si les bénéfices du NAFTA, notamment l'augmentation des exportations mexicaines vers les États-Unis, ont servi d'argument pour soutenir le projet d'accord avec l'Amérique centrale, les situations sont différentes : les pays de l'isthme n'ont pas les mêmes ressources que le Mexique, ils n'ont pas de frontière commune avec les États-Unis et possèdent déjà un accès au marché nord-américain relativement ouvert. Reste que le CAFTA pourrait avoir des conséquences sensibles sur les économies centre-américaines.

Celles-ci sont fortement liées aux États-Unis. Depuis le milieu des années 1990, le commerce bilatéral Amérique centrale/États-Unis a été multiplié par plus de deux [54]. Mais cette croissance globale diffère selon les pays : si le Honduras a vendu aux États-Unis 55 % de ses produits d'exportation sur cette période, le Costa Rica n'en a vendu que 27 % et le Nicaragua 5 % [55]. Quoi qu'il en soit, certains auteurs estiment que les flux commerciaux pourraient augmenter de 28 % grâce au CAFTA, qui générerait également des gains de productivité et conduirait les industries de la sous-région à se spécialiser sur leurs produits d'excellence [56]. De même, on s'attend à ce que les flux d'IDE en provenance des États-Unis augmentent. Mais ces évolutions comportent certains risques : la spécialisation accrue des pays de l'isthme sur leurs produits d'exportation peut les conduire à négliger un effort d'investissements productifs sur d'autres secteurs et les maintenir dans une spécialisation internationale à faible rentabilité. De même, l'attrait constitué par le CAFTA en termes d'IDE peut conduire les États de la sous-région à une situation de concurrence face aux États-Unis et à des politiques publiques sous optimales (au moins dans un premier temps : création de zones franches, incitations fiscales).

Sur le plan social, et comme c'est le cas pour le Plan Puebla-Panamá, beaucoup craignent un effet négatif sur les populations les plus fragiles : la libéralisation des échanges pourrait menacer les salaires et les emplois les moins qualifiés, en particulier du fait des prix moins élevés de certains

---

54. Les exportations de l'Amérique centrale vers les États-Unis sont passées de 2 108 millions de dollars (1994) à 6 962 millions de dollars (2005). Leurs importations sont passées de 4 275 millions de dollars à 9 513 millions de dollars sur la même période. CEPAL, *Integración regional e integración con Estados Unidos, op. cit.*, pp. 15-16.
55. Pour l'essentiel, les exportations centre-américaines vers les États-Unis se composent de produits textiles, de produits agricoles (fruits, noix, café), de machinerie électrique, d'équipements optiques ou médicaux et de combustibles. Département du Commerce des États-Unis (www.ustr.gov).
56. Alvin Hilaire et Yang Yongzheng, "The United States and the New Regionalism/Bilateralism", *Working Paper* 03/206, Washington, FMI, 2003. Ainsi, concernant les seuls produits agricoles, les échanges entre les États-Unis et l'Amérique centrale et la République dominicaine sont passés de 3,8 milliards de dollars en 2006 à 4,6 milliards en 2007 (www.america.gov/st/econ-spanish/2008).

produits agricoles en provenance des États-Unis [57]. La diminution des recettes fiscales pourrait conduire à une révision des programmes destinés aux secteurs les plus pauvres. C'est pourquoi plusieurs organisations de la société civile ont critiqué l'accord et fait campagne pour sa non-ratification (Comité de solidarité avec le peuple du Salvador, Réseau de solidarité avec le peuple du Guatemala, Initiative méso-américaine de commerce, d'intégration et de développement durable notamment). Les États-Unis ont répondu en proposant des programmes d'aide financés par USAID. L'accord comporte par ailleurs deux clauses sur le respect des droits des travailleurs et l'environnement, mais elles sont jugées insuffisantes par les représentants de la société civile [58].

En théorie, l'ouverture commerciale n'est pourtant pas contraire à la réduction de la pauvreté : la croissance induite par l'augmentation des flux commerciaux et financiers doit profiter à tous ; la baisse des prix provoquée par la concurrence doit elle aussi profiter à toute la population. Il est possible que ces tendances se confirment en termes globaux mais non par secteurs et non dans un premier temps. C'est bien la question de l'ajustement des économies centre-américaines aux changements structurels induits par le CAFTA qui se pose actuellement. Elle comporte plusieurs dimensions problématiques : la mise en œuvre de politiques nationales pertinentes, la coordination de ces politiques au niveau sous-régional, ce qui implique un calendrier commun inexistant à ce jour, l'élaboration de réponses communes (par exemple la création de fonds de compensation). Une fois encore, les États centre-américains se trouvent confrontés à des choix de politiques publiques qui touchent directement au processus d'intégration.

Quelles conséquences pour la construction régionale centre-américaine ?

Si la mise en œuvre d'accords de libre-échange entre les pays centre-américains et leurs partenaires extérieurs dont, au premier chef, les États-Unis, a souvent été critiquée, elle aura permis d'homogénéiser les politiques commerciales de ces pays et leur approche de la mondialisation. Reste à voir comment ce mouvement influera sur la construction régionale de l'isthme. Selon les experts du FMI, « la leçon la plus importante que l'on puisse tirer de l'expérience du Mexique est que l'on devrait utiliser un accord commercial comme le CAFTA pour accélérer les réformes structurelles nécessaires et non pour les remettre à plus tard. (…) les pays centre-américains doivent mettre en œuvre des politiques pour améliorer la qualité des institutions, des instances de régulation, l'État de droit, les droits de propriété, la flexibilité du marché du travail »… ce qui revient à opter pour le modèle de gouvernance régionale proposé par Washington [59]. Sans

---

57. Oxfam, "A Raw Deal for Rice under DR-CAFTA : How the Free Trade Agreement threatens the Livelihoods of Central American Farmers", *Oxfam Briefing Papers*, n° 68, Londres, Oxfam, 2004.

58. Sylvie Dugas, « Un accord de libre-échange est conclu entre quatre pays d'Amérique centrale et les États-Unis, excluant le Costa Rica », *Chronique des Amériques*, n° 2, janvier 2004. Observatoire des Amériques, université du Québec (www.ceim.uqam.ca).

59. Markus Rodlauer et Alfred Schipke, *América central : integración mundial y cooperación regional, op. cit.*, p. 22.

tirer nécessairement de telles conclusions, on doit constater que le CAFTA a le mérite de mettre en lumière certaines failles de l'intégration centre-américaine. Il est ainsi apparu, à la suite des négociations, que le MCCA n'avait pas prévu de règles commerciales communes en ce qui concerne les achats publics, les investissements, les télécommunications, le droit de propriété intellectuelle, les questions relatives à la transparence et à la corruption [60].

L'application du CAFTA comporte également des risques. En introduisant un système d'ouverture et de règles d'origine parallèle (auquel s'ajoutent d'autres systèmes liés aux autres accords commerciaux), il peut retarder voire compromettre le projet d'union douanière de l'Amérique centrale. La compétition induite par l'accord peut aussi conduire les pays de l'isthme à privilégier des avantages nationaux au détriment de la coordination sous-régionale.

Finalement, la politique de l'Amérique centrale reste largement déterminée par sa géographie et par la difficulté pour des États faibles de réaliser des choix optimums. Le SICA et le MCCA représentent une avancée importante dans la perspective historique de l'intégration centre-américaine. Pourtant, si l'institutionnalisation du SICA est forte, son domaine de compétence réel demeure limité par la prévalence des instances nationales. Sur le plan économique, les résultats obtenus depuis le retour de la paix sont notables mais la construction économique régionale s'est heurtée à la réalité des échanges et des marchés mondiaux : le MCCA permet d'améliorer les flux intrarégionaux, il ne parvient pas à créer la taille critique nécessaire à l'économie centre-américaine. Dans ces conditions, des accords avec de grands partenaires sont inévitables pour offrir des débouchés aux produits locaux et pour répondre à la pression exercée par ces grands partenaires au profit de leurs propres exportations.

Mettant en pratique le « régionalisme ouvert », les pays centre-américains ont cherché un avantage économique. Mais cette ouverture comporte aussi des dimensions de caractère politique. Le passage d'une intégration sous-régionale à une construction régionale et, en perspective, continentale, en association avec les États-Unis, induit une relation asymétrique nécessairement favorable à ces derniers en termes stratégiques [61]. L'Europe, quant à elle, représente un contrepoids commercial – et normatif – utile face aux États-Unis. Dans ces conditions, pour l'Amérique centrale, la question ne semble pas être de choisir ou non entre plusieurs modèles mais plutôt, au-delà du *spaghetti bowl*, de percevoir ce que sont ses intérêts et les perspectives d'action que lui ouvre la multiplicité des formes d'intégration auxquelles elle participe.

---

60. CEPAL, *Integración regional e integración con Estados Unidos*, op. cit., p. 49. Un traité centre-américain existe concernant les investissements : il a été signé en 2002 mais n'a pas été ratifié.
61. À propos de la relation États-Unis/Canada/Mexique, David Milliot estime que la mise en place d'une zone de libre-échange (ALENA) « relève moins d'une volonté de créer une communauté d'intérêts que d'une stratégie de puissance des États-Unis via la réalisation de leurs intérêts commerciaux ». Ce constat vaut en partie pour l'Amérique centrale. David M. Milliot, « Le transrégionalisme, nouvelle frontière du régionalisme ? », *Annuaire français des relations internationales*, vol. 5, 2004, p. 36.

AUX MARGES DE LA DÉMOCRATIE :
22 ANS DE PROCESSUS ÉLECTORAUX AU GUATEMALA [1]

Willibald SONNLEITNER *

UNE DÉMOCRATIE SANS HOMMES POLITIQUES ?

« Dans ce pays dévasté, les militaires sont devenus des entrepreneurs ; les entrepreneurs sont entrés en politique ; et les hommes politiques ?... Peut-être sont-ils partis à la retraite... ou ils sont morts... dans tous les cas, ils ont disparu. »

Comme en témoigne ce commentaire désillusionné d'un citoyen anonyme – et comme l'illustrent les processus électoraux qui se sont succédé depuis 1985 –, la démocratisation guatémaltèque est prisonnière de nombreux paradoxes et dilemmes. Sans aucun doute, la transition opérée ces vingt dernières années, d'un régime autoritaire légitimé par des élections « de vitrine » à un régime plus ouvert et pluriel sanctionné par des processus électoraux formellement libres et compétitifs, a contribué à la pacification de la vie politique, dans un pays où la violence a longtemps été l'instrument privilégié du pouvoir.

Si, au début des années 1980, l'armée et la guérilla dialoguaient par la voie des armes, aujourd'hui leurs anciens officiers occupent des charges publiques et siègent au Congrès, où ils se réunissent pour négocier des accords. En 2006,

* Willibald Sonnleitner est enseignant-chercheur au Centre d'études sociologiques de El Colegio de México. Ancien coordinateur pour l'Amérique centrale du Centre d'études mexicaines et centraméricaines (CEMCA), en poste au Guatemala entre 2004 et 2007.
1. L'auteur remercie la coopération de Manuel Terrádez, coordinateur du Programme d'assistance technique électorale de l'organisation des États américains (ATE-OEA), qui nous a facilité aimablement l'accès aux résultats des élections de 2007, désagrégés jusqu'à l'échelle des bureaux de vote.

l'initiative « Plan Vision de pays » a ainsi rassemblé les secrétaires généraux des dix partis politiques ayant une représentation parlementaire – parmi eux les candidats présidentiels de l'Unité nationale de l'espoir (UNE) et du Parti patriotique (PP): Álvaro Colom et Otto Pérez Molina; mais aussi deux des principaux antagonistes de la guerre interne: le général Efraín Ríos Montt, du Front républicain guatémaltèque (FRG), et le commandant Héctor Nuila, de l'Unité révolutionnaire nationale guatémaltèque (URNG) –, autour de la définition d'un agenda commun en matière de politiques publiques [2].

Toutefois, au-delà des déclarations de bonnes intentions, ce qui unit véritablement les secteurs économiques et politiques du Guatemala – pays où les dépenses du gouvernement central sont inférieures à 10 % du PIB [3] – semble être, avant tout, l'engagement tacite de différer la consolidation d'un État ayant une véritable capacité d'imposition fiscale. Ce surprenant consensus, qui réunit des représentants des élites économiques, militaires et politiques, contraste avec l'atomisation, l'anomie et l'apathie d'une société chaque fois plus segmentée et individualiste, en déficit d'identité, d'acteurs et de projets collectifs. Si cette situation peut être lue comme une conséquence de la transition politique, elle peut tout aussi bien être interprétée comme une de ses causes. Dans l'absence d'une participation active de la population, la démocratisation guatémaltèque se caractérise par une classe politique singulièrement « personnaliste » et « court-termiste », ainsi que par un système de partis désagrégé à l'extrême. Depuis l'élection d'un président civil en 1985, pas moins de 73 formations politiques ont participé aux six élections consécutives, sans compter les centaines de comités civiques ayant postulé des candidats indépendants dans une des 332 municipalités du pays. Toutefois, alors que les partis peuvent se désintégrer avant même que leurs affiches de propagande n'aient disparu des rues, la classe dirigeante fait preuve d'une surprenante continuité. Au niveau municipal, certains maires ont été réélus pour cinq mandats consécutifs, en changeant de parti selon les besoins du moment; de la même façon que les 121 députés « transfuges », ayant changé

---

2. Le « Plan Vision de pays », dont l'objet était la formulation conjointe de politiques publiques, était fondé sur le principe d'une « construction de consensus » autour de quatre axes thématiques (sécurité démocratique et justice/développement rural/éducation/santé et nutrition) et de deux axes transversaux (interculturalité/ macroéconomie et réforme fiscal). Élaboré entre avril et septembre 2006, il fut signé par les secrétaires généraux des partis politiques suivants: Démocratie chrétienne guatémaltèque (DCG), Front républicain guatémaltèque (FRG), Grande Alliance nationale (GANA), Mouvement réformateur (MR), Parti d'avancée nationale (PAN), Parti unioniste (PU), Parti patriote (PP), Unité nationale de l'espérance (UNE), Unité révolutionnaire national guatémaltèque (URNG) et Union démocratique (UD).

3. De 1999 à 2007, les revenus fiscaux sont passés de 11,3 % à 12,6 % du PIB, alors que les dépenses publiques se sont réduites de 15,5 % à 14,6 %. Pendant cette même période, les dépenses liées au capital ont diminué de 5,8 % à 4,9 %, alors que le budget courant s'est maintenu autour de 9,7 % du PIB. Comisión Económica para América Latina y el Caribe (CEPAL), *Guatemala: Principales indicadores económicos, 1999-2007*, CEPAL, 2008.

d'affiliation en plein mandat, lors des périodes parlementaires de 2000-2003 et 2004-2007 (Fortín 2008).

Ce déphasage insolite entre les continuités personnalistes de la politique locale et l'absence d'un système stable de partis révèle un déficit patent d'intégration nationale. Si le Guatemala est le pays le plus peuplé d'Amérique centrale, il est aussi le plus fragmenté d'Amérique latine. En 2007, sa population majoritairement rurale était de 12,7 millions d'habitants, distribués sur un territoire de 108 889 km² (un cinquième de celui de la France). Avec un PIB par tête de 1 574 US$ (2003), et un indice Gini [4] de 0,543 (2002), Pérez et Mora (2007) estiment que 63 % de la population vivait dans la pauvreté en 2004, dont 34 % en conditions d'indigence. Cela se traduit en un indice de développement humain de 0,689 en 2005 (118e rang parmi 177 pays), avec une espérance de vie de 69 ans, un taux d'analphabétisme de 31 % et une mortalité infantile de 43/1 000, moyenne qui s'élève encore plus dans les zones rurales et indiennes [5]. Il s'agit, en somme, d'un des pays les plus arriérés, inégalitaires et fragmentés de toute la région.

Comme le montre cette révision synthétique de deux décennies d'élections, une des nouveautés les plus remarquables du dernier scrutin de 2007 est que – pour la première fois depuis le début de la transition – le président a été élu grâce aux suffrages des campagnes, et contre les préférences majoritaires des habitants de la capitale – dont la participation plus soutenue était déterminante par le passé. Cependant, de nombreuses continuités persistent avec le passé, dont une importante abstention, une atomisation exacerbée de l'offre partisane et une impressionnante volatilité du vote citoyen. Ces pièces ou fragments, qui semblent conformer un véritable casse-tête électoral, ne sont pas complètement désarticulées lorsqu'elles s'observent depuis l'échelle locale, mais elles manquent actuellement de dynamiques structurées et intégrées au niveau national. À quoi servent, alors, les élections au Guatemala ? Peuvent-elles « fonctionner » d'une manière « démocratique », dans l'absence d'un État de droit, avec des institutions défaillantes et délégitimées, avec un système de partis atomisé et avec une citoyenneté passive, dépolitisée et démobilisée, désarticulée et incomplète ?

---

4. Le coefficient de Gini est une mesure du degré d'inégalité de la distribution des revenus dans une société donnée. Développée par le statisticien italien Corrado Gini, il peut varier entre 0 et 1, 0 étant l'équivalent de l'égalité parfaite (tout le monde aurait le même revenu) et 1 équivalent à l'inégalité totale. Pour comparaison, en 2004 la France avait un coefficient de Gini de 0,36.
5. Aujourd'hui, on considère que 40 % à 55 % des Guatémaltèques appartiennent à un des 23 groupes ethnico-linguistiques qui, avec les secteurs métisses (génériquement nommés *ladinos*), forment une société clairement multiculturelle. 21 de ces 23 groupes appartiennent à la famille linguistique maya, un autre groupe à la famille des xincas et un dernier au groupe afro-métis garifuna. Taracena Arriola, Arturo et al. 2004, *Etnicidad, Estado y Nación en Guatemala, 1944-1985.* Centro de Investigaciones Regionales de Mesoamérica, Guatemala. Programa de las naciones unidas para el desarrollo (PNUD), *Diversidad étnico-cultural: La ciudadanía en un estado plural, Informe Nacional de Desarrollo Humano 2005*, Guatemala, PNUD, 2005.

LES ÉLECTIONS DE 2007 : LA REVANCHE DES CAMPAGNES ?

Les dernières élections générales, tenues le 9 septembre (législatives et municipales, ainsi que premier tour des présidentielles) et le 4 novembre 2007 (second tour des présidentielles), offrent un bon échantillon des contenus et des contradictions de la démocratisation amorcée en 1985. Dans un contexte de forte fragmentation partisane, les campagnes électorales se sont concentrées sur la personnalité des candidats présidentiels, au détriment des programmes des partis politiques.

Des campagnes consensuelles et personnalisées

Bien qu'elle s'inscrive dans une des sociétés les plus marginalisées et inégalitaires d'Amérique latine, et contrairement aux situations nicaraguayenne, salvadorienne ou mexicaine, la politique guatémaltèque manque de polarisation idéologique et se caractérise par un curieux « consensus » rassemblant l'ensemble des forces organisées, à l'exception d'une gauche particulièrement faible et fragmentée. D'où la monotonie des campagnes des présidentiables qui, en 2007, ont monopolisé les premières pages de la presse nationale et le très médiatisé débat télévisuel organisé par CNN. À quelques variantes près, tous les candidats ont repris les propositions du « Plan Vision de pays ». Si la classe politique est d'accord sur la nécessité d'établir un niveau acceptable en matière de sécurité, d'éducation et de santé publique, ainsi que sur l'importance de promouvoir le développement rural, l'interculturalité et la lutte contre le racisme, la majorité des candidats se sont également engagés à ne pas augmenter la « pression fiscale », dans un pays ou presque personne ne paie d'impôts sur le revenu ou sur la propriété [6].

Soulignons, également, le fort taux d'homicides enregistré dans la capitale du pays – qui dépasse aujourd'hui celui de la Colombie – et, plus préoccupant encore, la privatisation de la sécurité publique par un État qui a renoncé à exercer sa première prérogative. Il n'est donc pas surprenant que la violence ait affecté le processus électoral, coûtant la vie à 51 des 29 000 candidats – de tous les partis – en lice pour des charges d'élection populaire (principalement pour les charges de maires et de conseillers

---

6. Selon les statistiques nationales citées par le PNUD (*Ibid.* p. 340), en 2004, 15 % des revenus fiscaux du gouvernement central provenaient des impôts directs sur le revenu, 48 % des taxes sur la valeur ajoutée et 0 % de l'impôt sur le patrimoine. Des chiffres plus récents, publiés par la CEPAL, montrent qu'en 2007, le montant total des revenus fiscaux représentait 12,5 % du PIB, somme composée de la façon suivante : 2,6 % correspondant aux « impôts sur le revenu et sur les bénéfices » ; 0 % aux « impôts sur la propriété » ; 0 % à « d'autres impôts directs » ; 6 % aux « impôts généraux sur les biens et les services » ; 1,3 % aux « impôts spécifiques sur les biens et les services » ; 1,1 % aux « impôts sur les transactions commerciales et internationales », 0,4 % à d'« autres impôts indirectes » ; 1 % à d'« autres impôts » et, enfin, 0,2 % aux « Contributions à la Sécurité sociale ». CEPAL, *Estudio económico de América Latina y el Caribe*, 2007-2008, CEPAL, 2008, p. 357.

municipaux [7]). À cela s'ajoute l'influence notoire du crime organisé (trafics de drogues, de véhicules volés, de migrants illégaux, etc.), via le financement de campagnes excessivement longues et coûteuses.

Malgré tout, en 2007 l'offre politique a été aussi diverse que lors des élections précédentes : 14 candidats présidentiels, 15 listes législatives et plus de 28 000 candidats aux 332 conseils municipaux, présentés soit par un comité civique, soit par l'un des 21 partis légalement inscrits (ASIES 2007). Mais cette diversité ne s'est pas traduite par la pluralité dans le débat politique. Par-delà du consensus qui a marqué tous les discours, quelques candidats seulement ont eu un véritable accès à l'espace public. S'appuyant sur leurs propres enquêtes d'opinion, les médias ont opéré rapidement une présélection arbitraire des cinq candidats qu'ils jugeaient « susceptibles de gagner [8] ». Sont restés ainsi hors-jeu quelques présidentiables ayant pourtant une notoriété considérable, quatre autres aspirants ayant dû se retirer pour des raisons politiques ou juridiques [9].

---

7. Selon les chiffres rassemblés par l'Observatoire centraméricain sur la violence (OCAVI), les taux d'homicides au Guatemala n'ont pas cessé d'augmenter depuis quelques années, passant de 23,7 homicides pour 100 000 habitants en 1999, à 45,2 en 2006 (http://www.ocavi.com/docs_files/file_388.pdf). Cette évolution contraste avec celle enregistrée en Colombie, où l'on observe une tendance en nette diminution : de presque 100 homicides pour 100 000 habitants dans les années 1990, à 34 en 2006. Surtout, il faut souligner que si, en Colombie, la violence épargne relativement Bogotá (18 homicides pour 100 000 habitants), au Guatemala le phénomène se concentre au contraire dans la capitale du pays (jusqu'à 108 homicides pour 100 000 habitants en 2006, http://www.prensalibre.com/pl/2007/diciembre/15/190592.html). En ce qui concerne spécifiquement les homicides de candidats, voir le suivi systématique réalisé par le *Mirador Electoral* : « Violence politique. Détails de 2006 à 2007 (2 mars 2006 – 3 novembre 2007) », (http://www.miradorelectoral2007.org)
8. Le caractère arbitraire de ce choix est évident à la seule lecture des résultats chiffrés de ces sondages. Depuis le début de la campagne, Álvaro Colom comptait avec plus de 20 % des intentions de vote. À l'inverse, et malgré une précampagne très précoce, Otto Pérez Molina ne dépassait pas les 10 %, restant longtemps au coude-à-coude avec Alejandro Giammatei. Rigoberta Menchú et Eduardo Suger, pour leurs parts, sont toujours restés dans la marge d'erreur des méditions, avec des intentions de vote statistiquement comparables à celles des neuf autres candidats en lice, marginalisés par les grands médias (les journaux télévisés et les deux principaux quotidiens, *Prensa Libre* et *El Periódico*).
9. Le retrait inattendu de ces quatre précandidats a substantiellement modifié le rapport de forces et la conjoncture électorale. L'inscription du général Efraín Ríos Montt comme tête de liste de la liste législative du FRG est probablement liée à la procédure pour violation des droits de l'homme ouverte à son encontre par la justice espagnole. Eduardo González, le favori de la coalition au pouvoir (GANA), a pour sa part été impliqué dans la banqueroute d'une des principales banques du pays, BANCAFE. Francisco Arredondo, du PAN, a été victime d'un putsch interne à son parti, après avoir investi plusieurs millions de Quetzales dans une coûteuse précampagne. Finalement, le richissime homme d'affaires et pasteur protestant, Harold Caballeros, a été disqualifié pour avoir déposé sa candidature en dehors des échéances ; alors qu'il avait réussi à obtenir l'enregistrement de son parti (VIVA) par le TSE.

Le peloton de tête des candidats bénéficiant d'une visibilité médiatique démesurée s'est ainsi réduit à Álvaro Colom (UNE) et à son principal challenger, le général à la retraite Otto Pérez Molina (PP), qui développait – depuis 2005, en violation flagrante de la loi électorale – une précampagne très agressive et coûteuse. Après une première participation à l'élection présidentielle de 1999 et jusqu'au ballottage de 2003, l'ingénieur Colom jouissait d'une solide réputation au niveau national, notamment dans les zones rurales grâce à sa gestion à la direction du Fond national pour la paix (Fonapaz) lui ayant permis d'administrer d'importants montants destinés au développement social. Néanmoins, sa candidature avait elle aussi ses faiblesses : un manque d'éloquence et de charisme, de fortes divisions internes au sein de son équipe et de son groupe parlementaire, ainsi que quelques accusations publiques pour financements illicites et liens avec le crime organisé. Pour ces raisons, Colom a finalement opté pour une campagne relativement discrète et défensive ; son slogan « Ton espérance est mon engagement » visant à construire des alliances, souvent très hétérogènes.

En clair contraste, le général Pérez (PP) a presque exclusivement centré sa campagne sur le thème de la sécurité, en appelant à « voter avec caractère, d'une main ferme ». Pour cela, il a principalement misé sur sa trajectoire militaire, tout d'abord comme général de brigade formé aux États-Unis (École des Amériques en 1987 et Washington en 1988), puis sur ses mandats successifs comme chef de la direction d'intelligence militaire (« G2 », 1991-1993), chef de l'état-major présidentiel (sous Ramiro De León Carpio, 1993-1995), représentant de l'armée au sein de la commission de négociation des accords de paix, inspecteur général de l'armée en 1996, député et, enfin, responsable pour la présidence de la sécurité du président Berger en 2004. Depuis 2005, le général Pérez compte avec l'appui de l'Armée et des entrepreneurs, directement représentés par le candidat sélectionné par le PP pour la vice-présidence : un des principaux hommes d'affaires du pays. Sa longue campagne a ainsi projeté une image de détermination. Toutefois, la place excessive donnée à la problématique de la sécurité, devenue l'unique axe de son programme, ainsi que son rôle et ses responsabilités militaires pendant la période la plus répressive du conflit interne (le général Pérez était alors connu sous le nom de guerre « commandant Tito »), ont également commencé à lui attirer des critiques de plus en plus dures.

L'incorporation dans la course de trois autres candidats a toutefois donné à la campagne une allure davantage pluraliste. Le plus charismatique d'entre eux, malgré le manque total d'originalité de son slogan (« Sécurité totale »), a certainement été le candidat « officiel » de la Grande Alliance nationale (GANA), Alejandro Giammatei. Fonctionnaire proche du président Berger, devenu directeur général des prisons, il a lancé sa campagne après une très spectaculaire opération de « nettoyage » menée dans une des plus importantes prisons du pays. Mais sa principale faiblesse a été la désagrégation du gouvernement sortant, suite aux luttes internes attisées par le retrait précipité du candidat initial de la GANA, impliqué dans la faillite d'une des plus grande banque du pays.

Pour sa part, Rigoberta Menchú, « la candidate des femmes et des Indiens », arborait les couleurs du tout récent mouvement Rencontre pour le Guatemala (Rencontre pour le Guatemala, EG), en alliance avec l'association indienne Winaq. Mais si elle a bénéficié d'une importante exposition médiatique pour être la première et unique présidentiable indienne, la lauréate du prix Nobel de la paix (1992) n'a pas su convertir sa notoriété internationale en capital politique. Malgré son ancienne proximité idéologique avec la guérilla, Menchú n'a pas reçu l'appui de la URNG-MAIZ (qui a mandaté ses propres candidats). Au contraire, son discours s'est distancié des positions tenues par la gauche, sans pour autant réussir à articuler une proposition propre. Si la personnalité de son candidat à la vice-présidence, membre reconnu du secteur privé, a contribué à la placer au centre du spectre idéologique national, ce choix fut durement critiqué par les courants de gauche.

Finalement, l'entrepreneur et ancien militaire Eduardo Suger, en campagne sous les sigles du Centre d'action sociale (CASA), a tenu le rôle de l'académique et du conservateur. Fort de sa popularité comme recteur d'une université privée de la capitale, il a rassemblé les sympathies d'une partie de l'armée et du secteur privé. Toutefois, l'absence d'une véritable structure de parti et des ressources nécessaires pour impulser une campagne efficace dans tout le pays l'a fortement desservi. Ses déclarations polémiques et très médiatisées (« chacun à sa place : les femmes dans la cuisine, les Indiens dans les champs ») avaient probablement pour objectif de le positionner pour les prochaines élections.

Les résultats du premier tour (9 septembre 2007)

Dans ce contexte, les résultats du premier tour présidentiel et des élections législatives et municipales, organisés simultanément le 9 septembre, ont surpris à plusieurs titres. Tout d'abord, la participation a été relativement élevée en comparaison avec les années précédentes. En effet, à la faveur du processus progressif de décentralisation des bureaux de vote, 3,6 millions de citoyens se sont rendus aux urnes, soit 60 % des presque six millions d'électeurs enregistrés. Toutefois, ces chiffres doivent être relativisés. Tous les Guatémaltèques ne sont pas dûment inscrits et, abstentionnistes inclus, seul 53 % de la population en âge de voter a effectivement exercé ce droit politique au premier tour. Par ailleurs, 342 000 citoyens ont glissé dans l'urne un bulletin blanc ou nul, réduisant ainsi le nombre des votes valides à 3,3 millions, dans un pays de 12,7 millions d'habitants (graphiques 1 et 2).

Le 9 septembre, les vainqueurs du premier tour – l'ingénieur Colom (UNE) et le général Pérez Molina (PP) – ont ainsi obtenu respectivement 926 000 (28,2 %) et 771 000 (23,5 %) des votes (graphique 3). Ces deux candidats ont tous deux bénéficié d'un important effet de notabilité ; leurs noms ayant mobilisé une marge supplémentaire de 204 000 et 267 000 votes (+5,4 et +7,6 points), en comparaison avec les résultats obtenus par leurs partis aux législatives, sur des listes proportionnelles et bien moins médiatisées (graphiques 4 et 5). Toutefois, et contrairement à ce que laissaient entendre les enquêtes, l'*outsider*

Graphique 1 : Population totale (12,7 millions)

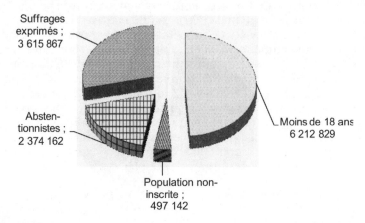

Source : Tribunal Supremo Electoral, Organización de Estados Americanos (2007).

Graphique 2 : Population en âge de voter (6,8 millions)

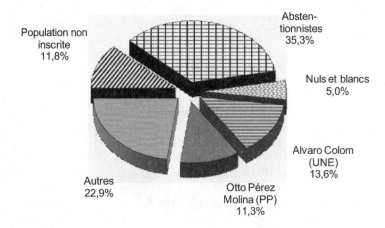

Source : Tribunal Supremo Electoral, Organización de Estados Americanos (2007).

Alejandro Giammatei (GANA) a réussi à rassembler 565 000 voix (17,2 %) aux présidentielles. Surtout, aux législatives, son parti s'est imposé sur celui de Pérez Molina, avec un avantage de 19 000 votes et sept députés sur le PP. Quant à Eduardo Suger, il a également créé la surprise avec un résultat personnel très honorable (7,5 % des suffrages valides), soit 2,6 points de plus que les votes recueillis par les députés de son parti, le CASA (graphiques 3-5).

À l'inverse, les candidats présidentiels des deux anciens partis au pouvoir, Luis Rabbé pour le FRG (7,3 %) et Rodolfo Castañeda pour le Parti d'avancée nationale (PAN) (2,6 %), ont mobilisé 2,5 et 2 points de moins que leurs

Graphique 3: Distribution votes valides (présidentielles)

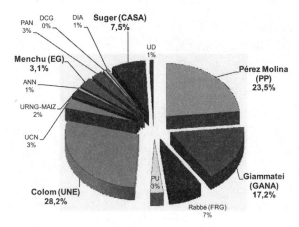

Source: Tribunal Supremo Electoral.

Graphique 4: Distribution votes valides (législatives)

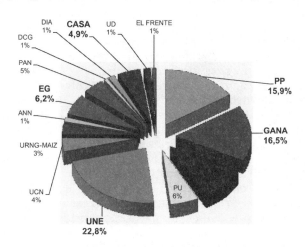

Source: Tribunal Supremo Electoral.

partis respectifs aux législatives. La différence maximale étant obtenue par Rigoberta Menchú (3,1 %), qui n'a pu rassembler sous son nom que la moitié des suffrages enregistrés par les candidats députés de son parti, Rencontre pour le Guatemala (EG) en alliance avec l'association indienne Winaq (6,2 %). Toutefois les conséquences politiques de ces défaites sont bien distinctes. La débâcle du FRG aux présidentielles est en partie compensée par ses résultats aux législatives (9,8 %); et son leader historique, l'ancien dictateur Efraín Ríos Montt, garde son immunité parlementaire à la tête d'un groupe discipliné de 14 députés. Au contraire, les timides résultats du PAN (4,6 %) sanctionnent

Graphique 5 : Effets de notabilité (votes présidentielles-législatives)

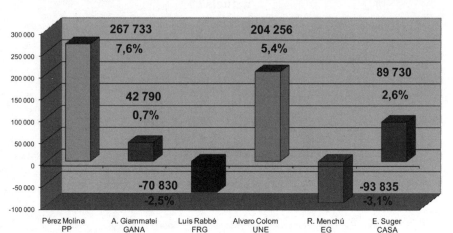

Source : Tribunal Supremo Electoral.

le déclin structurel d'un parti qui a pourtant gouverné le Guatemala de 1996 à 2000.

Dans le cas de Rigoberta Menchú, le bilan est désolant. Loin de produire l'effet de rassemblement attendu, sa candidature a, au contraire, mis en lumière le déphasage existant entre sa notoriété internationale et sa représentativité réelle dans le pays. Sa campagne a, en outre, révélé et symbolisé la fragmentation et la crise des partis de l'actuelle gauche guatémaltèque. Divisés en trois courants concurrents (URNG-MAIZ, Alliance nouvelle nation et EG-Winaq), dont les trois candidats ont difficilement réuni un total de 5,8 % des votes lors des présidentielles, ces partis ont pourtant capitalisé 10,8 % des suffrages aux élections législatives (graphique 6). Sans ces rivalités personnelles, la gauche guatémaltèque aurait ainsi pu former un groupe parlementaire probablement plus important que celui du FRG (qui n'a obtenu que 9,8 % des votes aux législatives), et aurait bien évidemment pu impulser une candidature commune aux présidentielles, forte d'une base partisane considérable.

Enfin, le nombre élevé des forces politiques en lice s'est traduit par une forte fragmentation au Congrès. Cette situation, sans offrir forcément l'avantage d'une meilleure représentation de la société guatémaltèque, pose surtout de vrais défis en termes de gouvernabilité. Nous reviendrons sur ce point en conclusion.

Le ballottage présidentiel (4 novembre 2007) : la revanche électorale des campagnes

Le dimanche 4 novembre, le second tour des présidentielles s'est déroulé dans un calme déroutant, sous le signe d'un triple paradoxe : (1) dans les rues désertes de la capitale – une des villes les plus agitées et violentes

Graphique 6 : La déroute de la gauche, ou celle de ses dirigeants actuels ?

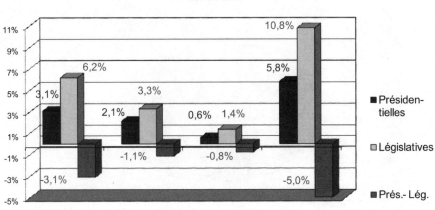

Source : Tribunal Supremo Electoral.

d'Amérique latine –, il régnait une quiétude inaccoutumée ; (2) malgré les pronostics annonçant des résultats serrés, indéterminés et *in fine* conflictuels, la participation électorale a été faible ; et (3), à contre-courant des rhétoriques agressives et de la polarisation promues par les candidats, l'attitude des électeurs comme des citoyens chargés de l'administration des 13 000 bureaux de vote – représentants des partis inclus – a été caractérisée par la modération et par un exemplaire esprit de coopération.

De même, et contrairement au premier tour, les résultats ont rapidement circulé. Les premières tendances sont apparues à partir de 19 h 00, pour se stabiliser et se consolider autour de 21 h 00, heure à laquelle le Tribunal suprême électoral (TSE) a annoncé à la presse la victoire du candidat de la UNE. Une des premières vertus de la démocratie représentative est sa capacité à agréger des préférences minoritaires pour les transformer en majorité et leur donner ainsi une légitimité. Ainsi, nous sommes passés d'une dispute entre 14 candidats inconnus et dépourvus de bases, à une compétition entre deux présidentiables jouissant d'une forte notoriété, à l'élection d'un président doté d'un mandat populaire et majoritaire. Avec 1,45 million de suffrages valides (52,8 %), l'ingénieur Álvaro Colom a triomphé sans difficulté, avec un avantage de 5,6 points sur son adversaire du Parti patriote, le général Pérez Molina qui a obtenu 1,29 million de votes (47,2 %) (graphique 7).

Toutefois, il convient de nuancer la magnitude de cette victoire, notamment en termes de participation et de représentativité. Comment peut-on, dans un pays de 12,7 millions d'habitants, conquérir la présidence avec seulement 1,45 million de suffrages ? Revenons ici sur la persistante sous-inscription des Guatémaltèques sur les listes électorales qui, nous le verrons plus en avant, se concentre avant tout parmi la population féminine et dans les zones

Graphique 7: Distribution des suffrages valides (2,7 millions)

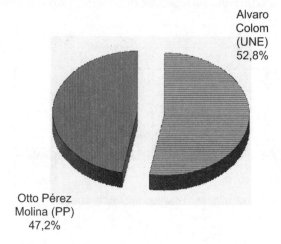

Alvaro
Colom
(UNE)
52,8%

Otto Pérez
Molina (PP)
47,2%

Source: Tribunal Supremo Electoral.

Graphique 8: Population en âge de voter (6,8 millions)

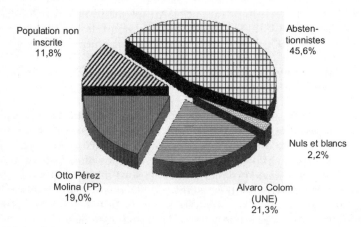

Population non
inscrite
11,8%

Absten-
tionnistes
45,6%

Nuls et blancs
2,2%

Otto Pérez
Molina (PP)
19,0%

Alvaro Colom
(UNE)
21,3%

Source: Tribunal Supremo Electoral.

marginalisées et indiennes (carte 3). Sur un total d'environ 6,8 millions de
personnes en âge de voter, seulement 5,99 millions d'entre elles sont effectivement
enregistrées. Parmi elles, 2,9 millions se sont à nouveau déplacées pour voter
le 4 novembre. 151 000 bulletins ayant été blancs ou nuls, seuls 2,7 millions
de votes valides ont finalement été comptabilisés (graphique 8).

Pour leur part, les dynamiques d'agrégation révèlent d'importants
phénomènes de votes croisés et de reports de voix. Les candidats de la UNE et
du PP ont obtenu à peine 720 000 et 493 000 suffrages aux élections législatives
du 9 septembre. Toutefois, ces deux partis ont simultanément bénéficié de

Graphique 9 : Nombre de suffrages reçus par le PP, la UNE et les autres partis (législatives, premier et deuxième tours présidentielles)

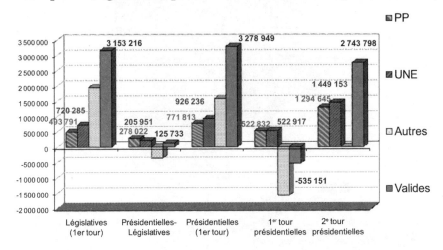

Source : Tribunal Supremo Electoral.

forts effets de notoriété pour capter respectivement 926 000 et 771 000 votes au premier tour du scrutin présidentiel. Au second tour, le total des suffrages valides diminue de 535 000 votes, pourtant chacun des candidats parvient à gagner environ 523 000 voix supplémentaires (graphique 9).

Curieusement, même si Pérez Molina obtient plus de voix qu'il ne s'était proposé de mobiliser après le premier tour (« 500 000 suffrages en plus »), Alvaro Colom le surpasse, principalement dans les campagnes où la forte participation, inusuelle, s'avère décisive. Depuis 1985, les seconds tours présidentiels se gagnaient d'abord dans le département de Guatemala ; qui ne concentre pas seulement 25 % des électeurs inscrits, mais également les indicateurs d'urbanisation et de développement les plus élevés du pays. Par ailleurs, la simultanéité du premier tour et des scrutins législatifs et municipaux mobilisait traditionnellement l'ensemble de la classe politique – et donc des ressources économiques, organisationnelles et humaines correspondantes. À l'inverse, le second tour se caractérisait par un retrait des principaux acteurs, et par une diminution notable de la participation électorale. En 2007, pas moins de 16 partis et 29 821 candidats ont ainsi participé aux élections générales du 9 septembre, restant finalement dans la dernière ligne droite deux candidats pour le ballottage présidentiel du 4 novembre.

Sans rompre totalement avec cette tendance, Álvaro Colom a sensiblement transformé le patron territorial de la (dé)mobilisation citoyenne. Nous l'avons vu, la participation enregistrée en novembre a effectivement diminué, comme de coutume, de 12,3 points par rapport au premier tour. Similaire à celle enregistrée lors du second tour de 2003 (48,3 % contre 49,8 %), elle a été supérieure à celles consignées en 1999 (40,4 %), 1996 (36,9 %) et 1991 (45,3 %), et inférieure à celle de 1985 (65,4 %). En d'autres mots, plus de la moitié des

Carte 1 : Pourcentage PP 2ᵉ tour des présidentielles (2007)

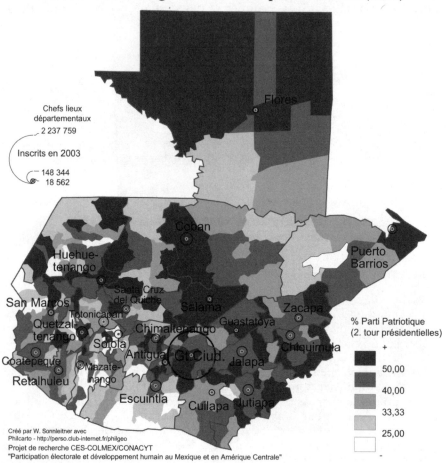

Chefs lieux
départementaux
2 237 759

Inscrits en 2003

148 344
18 562

Flores

Coban

Puerto
Barrios

Huehue-
tenango

Santa Cruz
del Quiche

San Marcos

Totonicapan

Salama

Zacapa

Quetzal-
tenango

Chimaltenango

Guastatoya

Chiquimula

Sololá

Coatepeque

Antigua Gt.Club.

Jalapa

Mazate-
nango

Retalhuleu

Escuintla

Cuilapa Jutiapa

% Parti Patriotique
(2. tour présidentielles)

+

50,00

40,00

33,33

25,00

−

Créé par W. Sonnleitner avec
Philcarto - http://perso.club-internet.fr/philgeo
Projet de recherche CES-COLMEX/CONACYT
"Participation électorale et développement humain au Mexique et en Amérique Centrale"

citoyens inscrits se sont rendus aux urnes, soit environ 42,5 % de la population en âge de voter (graphique 8).

Toutefois, la grande nouveauté de ces élections tient à la distribution territoriale de la participation. Jusqu'ici l'augmentation de l'abstentionnisme d'un tour sur l'autre se concentrait clairement dans les zones rurales, donnant un poids décisif à l'aire métropolitaine et aux chefs-lieux départementaux, qui attiraient alors l'essentiel des efforts de campagne. En 2007, le différentiel de participation entre les zones urbaines et rurales s'est visiblement réduit, voire même s'est inversé dans certains départements. Ce phénomène s'explique, en partie, par l'effort de décentralisation réalisé par le Tribunal suprême électoral ; pour la première fois, 687 bureaux de vote ruraux ont ainsi été installés à travers le pays, rapprochant les urnes des citoyens.

Carte 2 : Pourcentage UNE 2ᵉ tour des présidentielles (2007)

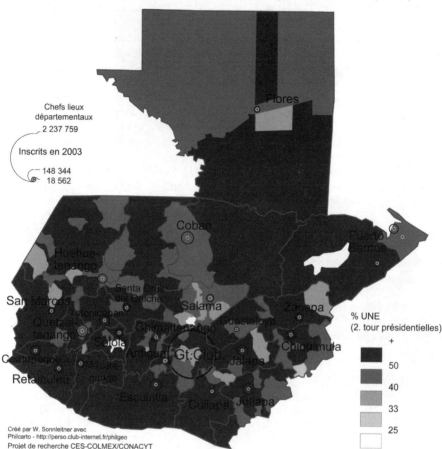

Créé par W. Sonnleitner avec
Philcarto - http://perso.club-internet.fr/philgeo
Projet de recherche CES-COLMEX/CONACYT
"Participation électorale et développement humain au Mexique et en Amérique Centrale"

Mais ce sont surtout les efforts déployés par l'équipe de Colom qui ont fait la différence. La UNE a su capitaliser avec habilité les résultats du 7 septembre : en consolidant son assise territoriale grâce à l'élection de 108 de ses candidats municipaux (contre seulement 37 maires élus pour le PP) et en se concentrant sur la négociation d'alliances locales avec les autres maires élus sous les sigles les plus divers. Le 4 novembre, la UNE a ainsi capté plus de la moitié des votes dans 20 des 22 départements du pays et a même enregistré des résultats supérieurs à 60 % dans les départements d'Escuintla, de Sololá, de Totonicapán, de Suchitepequez, de Retalhuleu et de San Marcos. Malgré sa faiblesse relative dans les départements de Guatemala (40,5 %) et de Baja Verapaz (43,8 %), Alvaro Colom est devenu le président élu ayant mobilisé le plus de suffrages à ce jour.

Les cartes 1 et 2 montrent clairement la forte concentration géographique des bases du PP au niveau municipal. Pérez Molina obtient 18 % des votes exprimés en sa faveur dans la capitale du pays (et 33,7 % à l'échelle de ce même département), là où Alvaro Colom ne mobilise que 8,7 % des électeurs (et 20,5 %). Alors que Pérez Molina enlève probablement des voix à Alvaro Arzú, Alejandro Giammatei et à Eduardo Suger dans la zone métropolitaine, le succès du second se doit à la mobilisation d'appuis plus larges et hétérogènes sur tout le territoire national (cartes 1 et 2). Le nouveau président élu du Guatemala est un ingénieur industriel, gérant de production dans le secteur de la *maquila* et membre de Groupement des exportateurs de produits non-traditionnels (Agexport). Álvaro Colom, 56 ans, marié et père de famille, est catholique. Neveu d'un homme politique progressiste assassiné à la fin des années 1970, il projette l'image d'un homme calme et simple. Depuis le début des années 1990, il a également cumulé une certaine expérience de la gestion publique : comme vice-ministre de l'Économie (1991), directeur du Fond national pour la paix (Fonapaz, 1991-1997), conseiller du Secrétariat à la paix, puis directeur exécutif de l'Office présidentiel pour l'assistance légale et la résolution de conflits agraires (1997). Alvaro Colom a construit sa notoriété au fil de ses participations aux deux dernières campagnes présidentielles, tout d'abord en tant que candidat du mouvement de gauche Alliance nouvelle nation en 1999 (il était alors arrivé en troisième position, avec 12,7 % des suffrages valides), puis comme candidat de la UNE, qu'il a lui-même fondée avant les élections de 2003 (il avait obtenu 44,1 % des votes au second tour contre Oscar Berger). Parmi les priorités défendues dans son programme figuraient, outre la question de la sécurité, une « restructuration » du budget national, un plan d'urgence pour la santé, la révision et la réforme des plans d'investissement public et, enfin, un appel pour l'élaboration d'un nouveau pacte fiscal.

Les raisons d'une déroute... inattendue ?

Malgré une campagne longue et offensive, qui lui avait permis de se positionner virtuellement en vainqueur dans les médias nationaux, Otto Pérez Molina a rapidement reconnu sa défaite, par un discours discret prononcé au siège de son parti peu après l'annonce du TSE. Alors, beaucoup de ses partisans avaient déjà concédé la victoire à Colom, preuve de la faible polarisation existante jusqu'au sein de son équipe rapprochée. Toutefois, cette défaite – annoncée pour certains – n'a pas manqué de surprendre la plupart des journalistes et des commentateurs de la politique guatémaltèque, convaincus de la supériorité charismatique du candidat du PP. À une exception près, toutes les enquêtes d'opinion publiées pendant les dernières semaines de la campagne donnaient un avantage de quatre à sept points à Pérez Molina et beaucoup d'entre elles annonçaient une élection serrée et disputée, sans gagnant clair.

Les résultats du 4 novembre ont ainsi, une fois encore, démenti les pronostics de ceux qui tendaient à réduire l'élection à une simple opération de marketing. Les messages publicitaires et la construction d'une image *ad hoc* ne suffisent pas à conquérir la présidence ; et ce même dans un contexte aussi fragmenté et volatil que le jeu politique guatémaltèque. L'existence d'une machine électorale, capable de transformer les simples intentions de votes en bulletins valides, reste indispensable. Otto Pérez semblait avoir gagné la bataille, notamment grâce à un slogan simple, percutant et parfaitement adapté à la préoccupation primordiale de la majorité de la population (« votez avec une main ferme », « *vota con mano dura* »), dans un contexte d'insécurité croissante particulièrement dans la capitale du pays. Mais la cohésion et la discipline de son équipe n'ont pas compensé sa faible assise territoriale et son manque de capacité de mobilisation au niveau national. Au premier tour, le PP a donc remporté 37 mairies et 29 sièges parlementaires, soit sensiblement moins que le groupe gouvernemental sortant, la GANA, qui a réussi à constituer un groupe de 37 députés.

De son côté, Álvaro Colom a construit sa campagne sur plusieurs fronts : usant du prestige accumulé alors qu'il était à la tête du Fonapaz ; développant depuis 2006 un programme de gouvernement « incluant » ; et menant un patient travail de construction d'alliances locales, qui ont finalement permis à la UNE de conquérir 51 sièges de députés et 108 mairies en septembre 2007. Ses principaux axes de communication (« Ton espérance est mon engagement », « Vie, paix et développement » et « La violence se combat avec de l'intelligence ») ont, certes, été plus modérés que ceux de son adversaire, mais aussi plus réconfortants et mieux reçus dans les zones rurales, où le sous-emploi reste un problème plus aigu que l'insécurité et où la mémoire du conflit interne est plus vivace. De fait, l'image médiatique construite autour du « général de la Paix » a été une arme à double tranchant. Car si Pérez Molina a effectivement représenté l'armée au sein de la commission de négociation des accords de paix (1996), il a également assumé des responsabilités militaires dans le cadre des opérations de contre-insurrection et de répression dans les années 1980.

La stratégie de Colom, privilégiant la négociation politique sur la communication médiatique, s'est donc avérée décisive. Si le général Pérez Molina a bénéficié de l'appui du secteur privé et d'influents médias de communication, lui ayant permis de s'imposer dans les *rating* télévisuels, le candidat de la UNE, lui, a démontré une capacité bien supérieure à tisser des alliances locales et à mobiliser des électeurs qui, traditionnellement, se retiraient entre les deux tours présidentiels. Ce sont précisément ces divergences de stratégies que la majorité des enquêtes n'a pas su saisir, ne reflétant une fois encore qu'une « opinion publique » biaisée et peu représentative, annonçant un résultat serré et donnant l'avantage au candidat erroné.

La progressive consolidation du jeu démocratique passe par l'apprentissage de la défaite, à condition qu'existe l'espoir de pouvoir triompher un jour. Il est aujourd'hui trop tôt pour évaluer les possibilités d'un *come-back* du général. En déclarant qu'il avait seulement perdu une bataille, mais qu'il continuerait la guerre, Pérez Molina semble d'ores et déjà avoir annoncé son intention de revenir en 2011. Ce scénario est tout à fait envisageable, les trois derniers présidents du Guatemala ayant été élus à la seconde (Alfonso Portillo en 1999 et Óscar Berger en 2003), voire même à la troisième tentative (Alvaro Colom). Néanmoins, il lui sera difficile de survivre politiquement pendant quatre ans sans mandat d'élection populaire tout en se maintenant à la tête d'un parti devenu la troisième force parlementaire, ne disposant ni de prérogatives ni de budget autonome.

Graphique 10: Participation électorale (premier et deuxième tours présidentiels)

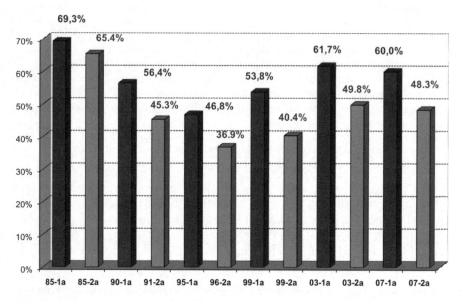

Source: Tribunal Supremo Electoral.

Déficit d'intégration nationale et déphasages territoriaux: le casse-tête électoral (1984-2007)

Dans une perspective plus historique, la démocratisation guatémaltèque affronte aujourd'hui des défis considérables, parmi lesquels on peut signaler quatre grandes problématiques d'ordre structurel: (1) les faibles taux d'inscription et de participation des citoyens, qui révèlent les limites de l'inclusion politique; (2) la fragmentation des acteurs collectifs et des conflits sociaux, qui se traduit par une polarisation politico-idéologique fragile et par l'absence d'un pôle organisé à gauche; (3) les déficiences, le discrédit et la faible – sinon inexistante – institutionnalisation du système de partis; ainsi que (4) la prééminence de leaderships fortement personnalisés et une étonnante continuité des dynamiques politiques au niveau local. Ces problématiques illustrent le réel déficit d'intégration nationale qui caractérise le Guatemala contemporain, résultat des limites de l'État et des politiques publiques face aux intérêts particuliers (monopoles privés), corporatistes (assise de l'armée) et, de plus en plus, des groupes de pouvoir parallèles (crime organisé).

Le déficit d'inclusion et de participation citoyenne

Comme nous l'avons vu précédemment, l'abstentionnisme est un élément crucial pour expliquer les résultats électoraux au Guatemala. Il compte en effet parmi les plus élevés d'Amérique latine, et peut se comparer seulement avec les taux enregistrés en Colombie et à El Salvador (IIDEA 2002, Sonnleitner 2007).

Le niveau de participation au Guatemala a évidemment expérimenté de fortes fluctuations au fil des années, avec une tendance croissante jusqu'en 1994, et une diminution notable depuis, surtout aux premiers tours des présidentielles (graphique 10).

Toutefois l'abstentionnisme représente un réel handicap à la qualité du jeu démocratique, principalement parce qu'associé à une importante sous-inscription sur les listes électorales. En 1985, un Guatémaltèque de plus de 18 ans sur quatre n'était pas enregistré comme électeur. Si ces chiffres se sont peu à peu réduits au fil des années, 12 % de la population en âge de voter ne jouissait toujours pas de leur citoyenneté politique en 2007 (tableau 1).

Nous l'avons évoqué précédemment, la sous-inscription sur les listes électorales se concentre clairement parmi les secteurs les plus marginalisés de la population : les femmes peu ou pas scolarisées et les minorités linguistiques (Rull 2006 ; Boneo & Torres-Rivas 2000). La carte suivante illustre la distribution géographique de la proportion de femmes inscrites par rapport à l'ensemble de la population féminine en 2003. Celle-ci est particulièrement basse dans les municipes majoritairement q'eqchi's (Alta Verapaz, sud du Petén et ouest d'Izabal), mais aussi poptís, chujs et q'anjob'ales (nord de Huehuetenango). Dans les zones k'iche' ou k'aqchikel, les variations locales sont plus importantes (Rull et Sonnleitner 2006) (carte 3).

Comme il fallait s'y attendre, ces disparités territoriales recouvrent d'autres variables sociodémographiques, telles l'extrême pauvreté et la dispersion de la population en zone rurale (Rull & Sonnleitner 2006). Cependant, aucune relation consistante n'a pu être établie entre le développement humain et la participation électorale. À partir d'une analyse approfondie des variables explicatives de la participation aux élections de 1985, 1990 et 1995, Fabrice Lehoucq et David Wall

Tableau 1 : Évolution inscrits/population en âge de voter (1985-2007)

Population en âge de voter	1985	%	1990	%	1995	%	1999	%	2003	%	2007	%
Totaux (1)	3 657 287	100	4 210 398	100	4 856 193	100	5 439 482	100	5 618 698	100	6 802 000	100
Pop. non-inscrite	903 715	25	1 005 443	24	1 144 604	24	980 738	18	857 041	15	811 971	12
Pop. inscrite (2)	2 753 572	75	3 204 955	76	3 711 589	76	4 458 744	82	4 761 657	85	5 990 029	88
Votes exprimés	1 907 771	52	1 808 718	43	1 737 033	36	2 397 212	44	2 937 636	52	3 615 867	53
Votes valides	1 679 000	46	1 554 231	37	1 548 864	32	2 191 512	40	2 684 179	48	3 278 949	48

Sources : (1) Payne et al. (2006), Organización de Estados Americanos (2007) ; (2) Tribunal Supremo Electoral.

Carte 3: Pourcentage des citoyennes inscrites sur le total des femmes en âge de voter (2003)

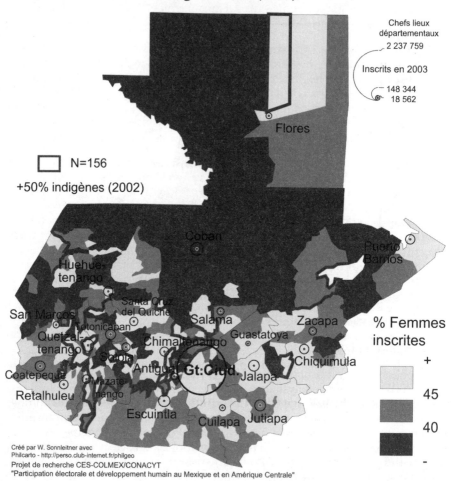

Chefs lieux
départementaux
2 237 759

Inscrits en 2003

148 344
18 562

N=156

+50% indigènes (2002)

Flores

Coban
Puerto Barrios
Huehuetenango
Santa Cruz del Quiché
San Marcos
Totonicapan
Salama
Zacapa
Quetzaltenango
Chimaltenango
Guastatoya
Solola
Chiquimula
Coatepeque
Antigua Gt:Ciud
Jalapa
Mazatenango
Retalhuleu
Escuintla
Cuilapa
Jutiapa

% Femmes
inscrites

+

45

40

-

Créé par W. Sonnleitner avec
Philcarto - http://perso.club-internet.fr/philgeo
Projet de recherche CES-COLMEX/CONACYT
"Participation électorale et développement humain au Mexique et en Amérique Centrale"

(2001) ont établi l'incidence statistique de plusieurs facteurs d'ordre spatial (taille et rang administratif des municipes, nombre de votants par bureau de vote), politico-institutionnel (importance de la circonscription électorale, nombre effectif des partis, compétitivité) et sociologique (proportion de femmes inscrites, alphabètes et indiennes), ainsi que le faible impact relatif du développement économique et du clivage urbain-rural. Ce dernier clivage ne s'observe ni lors des législatives et ni lors des premiers tours des présidentielles de 1999, 2003 et 2007. Toutefois, lors des seconds tours on enregistre des corrélations fortes et positives avec le développement humain (r = +0,491 en 1999, +0,402 en 2003 et +0,364 en 2007), lors de scrutins qui mobilisent toujours une part sensiblement inférieure de la citoyenneté.

**Graphique 11 : La faible polarisation des perceptions citoyennes
(Azpuru 2006:129)**

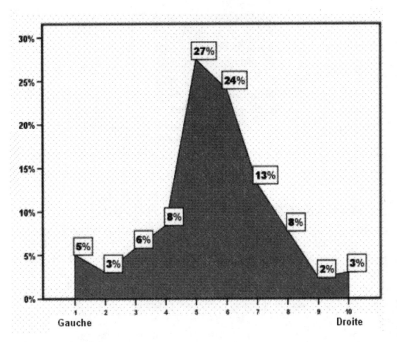

Sources : LAPOP (2006).

Ce phénomène est probablement lié au mécanisme signalé par Lehoucq &
Wall (2001) dans leur analyse des élections de 1985, 1990 et 1995 ; observé à
nouveau pendant les ballottages de 1999, 2003 et 2007. La réduction du nombre
de candidats entre les deux tours entraîne une réduction et une centralisation
des ressources économiques et organisationnelles dans les principaux centres
urbains, conférant ainsi un profil plus « développé » aux électeurs s'exprimant
aux seconds tours présidentiels. Pour cette raison, il semblerait que les clivages
socio-économiques ne s'activent, au Guatemala, que lors des seconds tours, se
diluant et disparaissant pendant les élections générales, principalement du fait
de la mobilisation d'électorats plus « volatiles » et dispersés [10].

La faible polarisation idéologique de la demande et de l'offre politique

Le second grand problème de la démocratisation guatémaltèque tient à la
fragmentation des acteurs politiques et à la faible polarisation idéologique, tant

---

10. Pour une analyse plus extensive et compréhensive, permettant d'identifier la
spécificité du Guatemala dans le contexte centraméricain, régional et en relation
avec le Mexique, voir Sonnleitner, Willibald, « Participación electoral y desarrollo
humano : apuntes metodológicos para el análisis territorial y multidimensional del
voto en México y Centroamérica », dans *Estudios Sociológicos de El Colegio de México*,
vol. XXV, n° 75. D.F., El Colegio de México, 2007, pp. 811-833.

en termes de perceptions citoyennes que d'offre partisane. Paradoxalement, et malgré le long conflit interne qui a laminé le pays pendant près de quatre décennies, il n'existe pas de différenciation significative entre les multiples groupes et partis qui se disputent la représentation politique.

Contrairement aux panoramas nicaraguayen ou salvadorien – marqués eux aussi, pendant les années 1980, par de longs et sanglants conflits internes –, le système politique guatémaltèque ne dispose pas d'un pôle organisé à gauche, capable de formuler des projets et des idées alternatives, ainsi que d'alimenter un débat idéologique pluriel. Cette absence se traduit, d'une part et comme le reflètent les enquêtes d'opinion, par la faiblesse de la polarisation idéologique des perceptions citoyennes. À la différence de leurs voisins centraméricains, les citoyens guatémaltèques se distinguent en effet par leur forte concentration au centre, avec une inclinaison certaine vers le centre-droit (graphique 11).

Cette tendance contraste pourtant avec la polarisation perceptible par ailleurs, fruit des inégalités économiques, sociales et culturelles qui divisent la société nationale. Une des clefs pour comprendre cette étonnante absence de différenciation idéologique est sans doute à rechercher du côté de l'échec organisationnel et électoral des différents courants de gauche, dont les divisions internes ne peuvent être compensées par la formation d'alliances ponctuelles et font obstacle à la consolidation d'un parti cohérent et durable, capable d'attirer des électeurs en dehors de leurs propres (et restreints) rangs. Sans aucun doute, les importantes inégalités en matière d'accès aux financements privés et aux médias de communication ont considérablement altéré et limité la compétitivité des processus électoraux. Toutefois, ces inégalités sont également observables dans d'autres pays de la région, où les partis de gauche ont pourtant réussi à se consolider, comme l'illustre le cas du Front Farabundo Marti de libération nationale (FMLN) au Salvador.

La récente défaite de Rigoberta Menchú est, à cet égard, paradigmatique et s'inscrit dans la continuité directe des échecs passés. En 1995, le Front démocratique nouveau Guatemala (FDNG), qui avait suscité de grandes expectatives, a ainsi capté 119 000 votes aux présidentielles (7,7 % des votes valides) et 163 000 votes (9,6 %) aux législatives, à la faveur notamment d'une série d'alliances avec les secteurs progressistes et populaires (et grâce à l'appui tactique de l'URNG, encore clandestine). En 1999, une liste de gauche était présentée conjointement avec l'URNG (désormais convertie en parti politique) – en coalition avec Développement intégral authentique (DIA), au sein de la proclamée Alliance nouvelle nation (ANN) –, ainsi qu'avec le FDNG – qui avait pourtant rompu son alliance avec l'ancienne guérilla pour cause de divergences personnelles. Le jour de l'élection, l'ensemble de ces forces a mobilisé 299 000 suffrages aux présidentielles et 295 000 aux législatives (soit environ 14 % des votes valides). En 2003, l'option de gauche fut à nouveau incarnée par l'URNG et par l'ANN – constituée de dissidents de l'ancienne guérilla et de dirigeants de l'alors disparu FDNG. Ces deux listes ont rassemblé 231 000 suffrages aux législatives (9 %), et seulement 69 000 votes aux présidentielles (2,6 %). Finalement, en 2007, se sont présentées trois forces politiques de gauche :

l'URNG, l'ANN et Rencontre pour le Guatemala (EG) : le groupe fondé par des dissidents de l'ANN, qui a appuyé la candidature de Menchú (*supra*).

À cette gauche de teinte relativement radicale, s'ajoute un courant plus modéré et pragmatique. Celui-ci s'est progressivement déplacé vers le centre-droit du spectre politique national, mais continue à revendiquer une participation, en tant qu'observateur, à l'Internationale social-démocrate. Ainsi, en 1999, avant de fonder l'UNE, le président élu Álvaro Colom avait été postulé par l'ANN et avait alors mobilisé 270 891 voix (12,4 % des votes valides). Pour sa part, la députée Nineth Montenegro, d'abord élue pour l'ANN avant de fonder EG, a été confortablement réélue comme tête de liste de EG pour les législatives. Bien qu'accusée de représenter les intérêts de puissants groupes privés, elle a mobilisé près du double des voix de sa co-candidate au niveau présidentiel, Rigoberta Menchú (*supra*). En d'autres termes, la faiblesse de la gauche guatémaltèque n'est pas nécessairement le fait de l'« idiosyncrasie culturelle » communément avancée, mais plutôt – ou tout au moins en partie – de réels problèmes de leadership, de factionnalismes et d'importantes divisions internes.

La pulvérisation du système de partis

Le troisième problème rencontré par la démocratisation guatémaltèque – étroitement lié au précédent – tient à la pulvérisation du système de partis. Sa fragmentation et volatilité extrême empêchent la constitution d'identités politiques stables et durables, dans un contexte de confusion et de croissante désillusion vis-à-vis des institutions représentatives.

Comme l'illustrent les deux graphiques suivants, aucun des partis ayant gouverné le pays depuis 1985 n'a réussi à conserver la confiance des électeurs qui l'avaient porté au pouvoir. Plutôt que de s'efforcer à construire des structures partisanes et des bases territoriales stables, les acteurs politiques semblent en effet privilégier la consolidation de leurs réseaux personnels de pouvoir et d'influence. Cette tendance se reflète dans l'atomisation de l'offre politique : entre 1985 et 2007, pas moins de 61 partis et 12 coalitions ou alliances politiques ont participé à une élection, sans compter les centaines de comités civiques qui ont présenté des candidats indépendants au niveau municipal (Sicher Moreno 1999, Olascoaga 2003). En 2003 et en 2007, le nombre effectif de partis électoraux (indice de Laakso & Taagepera) était respectivement de 6,6 et de 7,7 aux législatives, soit un degré de fragmentation comparable à celui de la Bolivie, de l'Équateur et du Brésil (Payne et *alii* 2006). En effet, lors des seules deux dernières élections, pas moins de 18 (en 2003) et de 16 (en 2007) formations politiques se sont présentées sous une multitude de sigles différents (ASIES 2004 et 2007).

Par ailleurs, les carences organisationnelles et institutionnelles des partis guatémaltèques sont évidentes. Se distinguant par une fécondité élevée et une espérance de vie très basse, ils prolifèrent à chaque élection mais peu d'entre eux survivent à la conjoncture électorale. Plus encore, les forces politiques qui ont réussi à conquérir la présidence depuis 1985 ne parviennent pas à constituer des bases solides. Le Front républicain guatémaltèque (FRG), tout

Graphique 12 : pourcentage des votes enregistrés/votes valides pour les partis ayant gouverné le pays depuis 1985

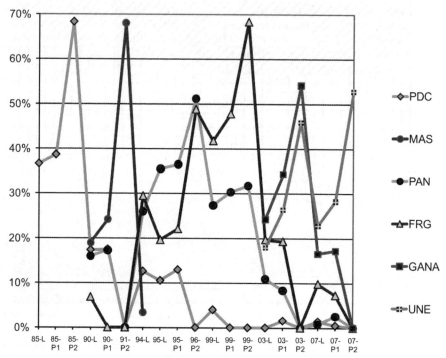

« L » = Législatives, « P1 » = Premiers tours présidentiels ; « P2 » = Deuxièmes tours présidentiels. Sources : Tribunal Supremo Electoral.

comme le Parti d'avancée nationale (PAN) – soit les deux formations ayant le plus fort degré de structuration territoriale et temporelle sur cette période – enregistrent une chute saisissante entre 1999 et 2003, passant respectivement de 48 % à 19 %, et de 30 % à 8 % des votes pour les présidentielles. Le fort déclin du PAN est principalement dû à la dispute interne déclenchée par la candidature présidentielle d'Oscar Berger. Ce dernier, écarté par les cadres de son parti, forme alors avec l'appui de trois petits partis une nouvelle Grande Alliance nationale (GANA), qui l'amène à la présidence en 2003. Mais cette alliance se fragmente dès 2007, lors d'élections qui sanctionnent également un nouveau recul du FRG et la quasi-disparition du PAN, illustrant le caractère hautement personnaliste, charismatique et « caudilliste » du jeu politico-électoral (graphique 12).

Enfin, la faiblesse structurelle du système de partis guatémaltèque se manifeste d'une façon encore plus évidente lorsque l'on intègre à l'analyse l'importante proportion de citoyens non inscrits et de citoyens inscrits ne se rendant pas aux urnes (graphique 13). Même lors des moments les plus décisifs de la vie politique nationale, tels que le sont les seconds tours présidentiels, les candidats des partis vainqueurs ne parviennent à mobiliser qu'une petite

**Graphique 13 : Pourcentage votes/inscrits pour les partis ayant
gouverné le pays depuis 1985**

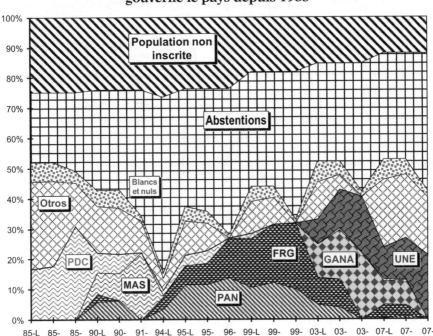

« L » = Législatives, « P1 » = Premiers tours présidentiels ; « P2 » = Deuxièmes tours
présidentiels. Sources : Tribunal Supremo Electoral.

partie de la population en âge de voter : 31 % en 1985 (Vinicio Cerezo Arévalo
pour le Partido Demócrata Cristiano, PDC), 22 % en 1991 (Jorge Serrano
Elías pour le Mouvement d'action solidaire, Movimiento de Acción Solidaria,
MAS), 14 % en 1996 (Alvaro Arzú Irigoyen pour le Parti d'avancée nationale,
PAN), 22 % en 1999 (Alfonso Portillo pour le Front républicain guatémaltèque,
FRG), 22 % en 2003 (Oscar Berger avec la Grande Alliance nationale, GANA)
et 21 % en 2007 (Álvaro Colom pour la UNE).

*Les déphasages territoriaux de la politique et le déficit d'intégration
national*

Comme nous avons eu l'occasion de l'exposer dans une précédente analyse
exploratoire des dynamiques territoriales du vote en 1999 et 2003, les partis
guatémaltèques se caractérisent par le déphasage singulier existant entre
leurs structures organisationnelles formelles – légalement déclarées devant
le Tribunal suprême électoral (TSE) – et leurs structures de pouvoir réelles
au niveau local – obéissant à des logiques et des dynamiques territoriales

souvent totalement différentes [11]. Ce déphasage met précisément en lumière la caractéristique fondamentale du système politique guatémaltèque, marqué par un évident déficit d'intégration nationale.

Cette situation s'observe notamment en comparant la liste des municipes où les partis déclarent avoir un nombre significatif d'affiliés (plus de 1 % du total des électeurs en 2003) avec la liste des municipes où ces mêmes partis reportent une structure partisane. À l'exception de la Démocratie chrétienne guatémaltèque (DCG) – qui revendique une organisation locale dans 330 municipes et des affiliés dans 327 municipes –, les cinq autres forces politiques analysées affirment ainsi avoir des partisans dans beaucoup plus de municipes que ceux où elles comptent effectivement une structure organisationnelle; vice-versa, il leur arrive de ne comptabiliser aucune base dans des municipes où, pourtant, elles ont créé des structures locales. Ce décalage entre la présence territoriale institutionnelle des partis et leurs affiliations « déclarées » s'observe dans les tableaux suivants, qui illustrent l'absence de relation logique entre les deux types de données (tableau 2).

Tableau 2: Présence institutionnelle effective des six principaux partis

	PAN	GANA	DCG	FRG	URNG	UNE
Sans organisation, ni militants affiliés	158	91	0	96	165	235
Avec organisation, sans militants affiliés	30	26	22	32	115	45
Avec organisation et militants affiliés	89	135	308	108	44	22
Sans organisation, avec militants affiliés	54	79	1	95	7	19
Totaux	331	331	331	331	331	331

Un autre déphasage intéressant peut également être relevé, cette fois entre le déploiement territorial des partis et leurs résultats aux élections. Celui-ci apparaît clairement en comparant les votes valides obtenus par les six forces politiques analysées dans les quatre catégories de municipes que nous venons

---

11. À ce sujet, on peut consulter la série de cartes publiées par Mack, Luis & Willibald Sonnleitner, « El mosaico guatemalteco (1): Tendencias territoriales del voto y pulverización partidista en una sociedad altamente fragmentada », en Sonnleitner, Willibald (dir.), *Explorando los territorios del voto: Hacia un atlas electoral de Centroamérica*, Guatemala, Centro de Estudios Mexicanos y Centroamericanos, Instituto de Altos Estudios de América Latina, Banco Interamericano de Desarrollo, 2006, pp. 66-73.

de distinguer (sans organisation, ni affiliés/avec organisation, sans affiliés/ avec organisation et affiliés/sans organisation, mais avec affiliés). Ainsi, les moyennes des votes valides enregistrées par les partis tendent souvent à être supérieures là où, précisément, ceux-ci ne comptent pas d'organisation, pas de militants locaux, ou ni l'un ni l'autre. Seules l'URNG et – dans une moindre mesure – la UNE font exception (tableau 3).

Tableau 3 : Présence territoriale déclarée et résultats électoraux effectifs

	PAN	GANA	DCG	FRG	URNG	UNE
Sans organisation, ni militants affiliés	11,8	18,6	-	24,6	1,2	11,4
Avec organisation, sans militants affiliés	14,6	18,5	3,6	21,8	3,4	13,1
Avec organisation et militants affiliés	13,2	16,3	3,8	18,9	11,5	18,9
Sans organisation, avec militants affiliés	14,5	19,8	4,3	14,3	5,4	17,2

La distorsion entre la présence des partis, le degré d'affiliation déclaré et la capacité effective d'accéder et d'exercer le pouvoir local est encore plus évidente si on analyse les résultats obtenus par les partis dans ces mêmes quatre catégories de municipes lors des élections municipales de 2003. Tout d'abord, il apparaît que les partis mandatent fréquemment des candidats dans les municipes où ils ne sont pas représentés (ni organisation, ni affiliés) (tableau 4). Surtout, il s'avère que ces candidats ont précisément plus de chances d'être élus. Là encore, seule l'URNG fait exception (tableau 5).

Pourtant, tout n'est pas volatil et chaotique dans la politique guatémaltèque. Bien au contraire, on observe une surprenante continuité dans l'exercice du pouvoir local, malgré l'importante fragmentation partisane qui caractérise le système politique au niveau national (Mack & Sonnleitner 2006).Les graphiques 14 et 15 permettent de se faire une idée du phénomène. Des 1 837 élections municipales réalisées entre 1985 et 2003, plus d'un tiers (642, marquées en gris foncé sur le graphique 14) ont abouti à une réélection, soit du même parti avec un candidat différent (réélection « partisane », marquée en petis cercles et gris foncé sur le graphique 15), soit du même candidat sous d'autres sigles (réélection « charismatique », marquée avec des croix), soit du même candidat avec le même parti (réélection « charismatique-partisane », marquée avec des triangles et des pointillés).

Si l'alternance reste l'aboutissement le plus fréquent des processus électoraux locaux, de nombreux municipes guatémaltèques se caractérisent donc, aussi, par une forte continuité politique, fondée sur la présence d'organisations

Tableaux 4 et 5 : Relation entre organisation, affiliation, candidats présentés et mairies gagnées pour les élections municipales de 2003

Relation organisation-candidats	PAN	GANA	DCG	FRG	URNG	UNE
Sans organisation, ni militants affiliés	141	82	0	91	40	208
Avec organisation, sans militants affiliés	25	22	14	31	76	43
Avec organisation et militants affiliés	84	104	223	104	38	22
Sans organisation, avec militants affiliés	48	73	1	95	4	26
Totaux candidats présentés (élections 2003)	298	281	238	321	158	299

Relation organisation-résultats	PAN	GANA	DCG	FRG	URNG	UNE
Sans organisation, ni militants affiliés	14	17	0	34	0	17
Avec organisation, sans militants affiliés	1	4	0	11	1	0
Avec organisation et militants affiliés	7	28	5	36	6	6
Sans organisation, avec militants affiliés	5	16	0	32	0	6
Totaux mairies gagnées (élections 2003)	27	65	5	113	7	29

partisanes consolidées, sur le charisme et le pouvoir personnel de *caudillos* n'établissant pas de liens durables avec un parti spécifique, ou encore sur des leaderships « mixtes » combinant les deux formes de légitimité, pour reprendre ici deux dimensions de la typologie de Max Weber.

L'analyse diachronique de ce phénomène souligne ses variations significatives dans le temps. Au début de la période de transition (1985-1988), les alternances sont moindres et les réélections « partisanes » plus importantes. À la fin de la période (1999-2003), les réélections « charismatiques » et « charismatiques-partisanes » connaissent une forte augmentation, alors que les réélections « partisanes » diminuent significativement (graphique 15 et tableau 6).

Enfin, 41 municipes se distinguent par des alternances électorales systématiques. Cette observation nous permet de proposer un second

**Graphiques 14 et 15 : Alternances locales et
types de réélections municipales**

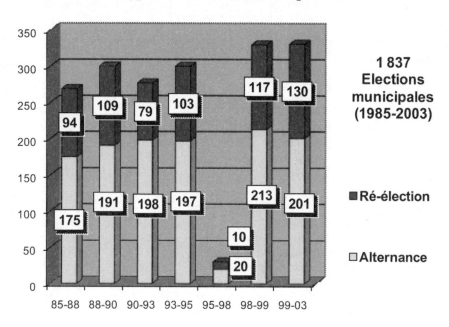

1 837
Elections
municipales
(1985-2003)

■ Ré-élection

□ Alternance

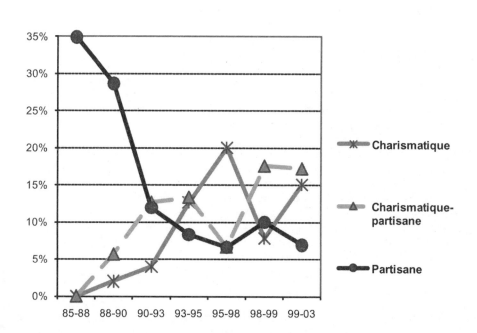

Tableau 6: Alternances locales et types de réélections municipales

	1985/1988	%	1999/2003	%	Municipes avec une ou plusieurs réélections	%
Alternance municipale	175	53	201	61	41	12
Réélection « charismatique »	0	0	50	15	52	16
Réélection « charismatique-partisane »	0	0	57	17	105	32
Réélection « partisane »	94	28	23	7	133	40

type de typologie, axée sur les municipes ayant connu au moins une réélection locale. Celle-ci se caractérise par une prééminence des municipes expérimentant des réélections de type « partisane » (40 %); viennent ensuite ceux se caractérisant par des réélections « charismatiques-partisanes » (32 %) et finalement ceux dont les réélections peuvent être considérées comme purement « charismatiques » (16 %). À nouveau, il est intéressant de distinguer les phases temporelles de ce phénomène. Au début de la période de transition, le système politique, encore relativement intégré, comptait avec des partis (DCG et UCN) relativement structurés et capables d'obtenir une réélection, quelle que soit la personnalité du candidat. Aujourd'hui, la personnalisation de la politique donne l'avantage aux leaderships et aux caudillismes. Une analyse territoriale montre bien que, si elles peuvent éventuellement obéir à des dynamiques plus ou moins intégrées aux niveaux local ou régional, ces réélections s'opèrent avant tout en marge du système national de partis et de représentation formelle (carte 4).

Mais la particularité la plus intéressante de la démocratisation guatémaltèque reste le fait que, depuis 1985, aucune force politique ayant accédé au pouvoir n'a réussi à capitaliser sa gestion au gouvernement. Toutes, sans exception, ont subi un vote de sanction, annonçant souvent leur disparition. Cette situation souligne l'extrême volatilité des partis et la personnalisation exacerbée de la politique guatémaltèque; deux traits qui ont précisément caractérisé les dernières élections générales de 2007. Le déficit de participation et d'intégration citoyenne, ainsi que la faiblesse d'un pôle structuré à gauche, contribuent pour leur part à expliquer l'absence de programmes idéologiquement différenciés, de projets alternatifs au consensus actuel des élites au pouvoir et d'identités partisanes stables et durables. Dans ce contexte paradoxal de « pluralisme sans option », à quoi servent donc les élections au Guatemala ?

À QUOI SERVENT LES ÉLECTIONS AU GUATEMALA ?

En théorie, les élections libres et compétitives ouvrent des espaces de participation et de représentation populaires, facilitant la gestion de la diversité

Carte 4 : Alternances et continuités « charismatiques » et « partisanes »

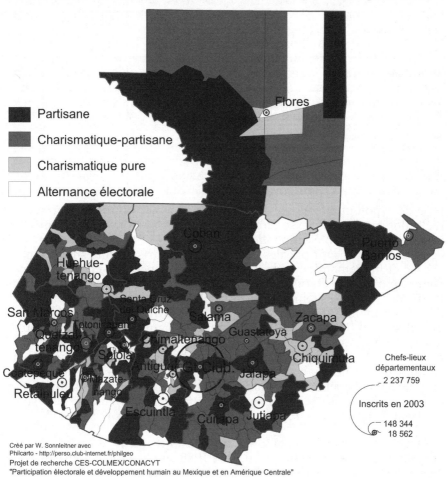

Créé par W. Sonnleitner avec
Philcarto - http://perso.club-internet.fr/philgeo
Projet de recherche CES-COLMEX/CONACYT
"Participation électorale et développement humain au Mexique et en Amérique Centrale"

et la canalisation des conflits politiques par des moyens pacifiques. À cette dimension formelle du pluralisme démocratique, la pensée libérale a associé des garanties individuelles et des droits civils dans les États de droit ; tandis que le courant socialiste a insisté sur les dimensions égalitaires et redistributives attachées à la conception de la citoyenneté dans un État social. Il existe donc un débat ouvert sur les portées et les limites des processus démocratiques, et sur la façon dont ces derniers dépendent de la qualité des processus électoraux. En effet, les élections ne sont pas exclusives des démocraties, car les régimes autoritaires et totalitaires y recourent également pour mobiliser leurs populations, négocier de nouvelles alliances, communiquer ou entériner des décisions et, surtout, forcer la légitimation des gouvernants par les gouvernés. Ce type particulier d'« élections sans options » n'impliquant ni la sélection ni la rénovation du groupe au pouvoir, ni même l'exercice ou le contrôle du pouvoir politique (Linz, Hermet & Rouquié 1982).

Dans cette perspective, la démocratisation guatémaltèque constitue un cas limite. Tout comme au Nicaragua et au Salvador, les élections y ont contribué à la résolution du conflit armé interne, à la pacification de la politique nationale et à la stabilisation de l'ordre constitutionnel. Sans elles, les négociations qui ont abouti en décembre 1996 à la signature des accords de paix eurent été improbables (Arnson 1996 ; Domínguez & Lindberg 1997). De la même façon, le pluralisme politique a participé à l'affirmation d'un discours normatif de justice et d'égalité, ainsi qu'à la revendication croissante d'une citoyenneté plus large et effective (Chase-Dunn, Jonas & Amaro 2001 ; Azpuru et Alii 2007).

Cependant, il s'agit d'un processus fragile, récent et inachevé, qui se développe de surcroît dans un contexte singulièrement adverse, de transitions multiples (Sieder 1996 ; McLeary 1999). En termes économiques, la démocratisation a en effet coïncidé avec une ouverture commerciale sans freins, avec l'abandon par l'État de toute stratégie de développement autonome et avec l'expulsion démographique des secteurs les plus productifs et les plus dynamiques de la société, forcés d'émigrer pour trouver du travail. Outre le coût économique d'une telle perte de ressources humaines, l'émigration massive a un coût social énorme, dû à la conséquente désarticulation du tissu familial, communautaire et local. Cette situation explique aussi, en partie, la faiblesse des mouvements populaires et sociaux ; les jeunes migrants guatémaltèques alimentent les files des abstentionnistes en « votant avec leurs pieds ». Toutefois, ce qui est encore plus préjudiciable à la consolidation démocratique demeure la démission d'un État quasiment « en faillite », n'ayant plus la capacité d'exercer ses prérogatives les plus élémentaires, telle l'impartition de la justice et de la sécurité [12].

La qualité des processus électoraux peut être évaluée à la lumière de ce contexte, ainsi que des critères opératifs proposés par Andreas Schedler (2002). Comme nous l'avons vu, les élections guatémaltèques sont devenues aujourd'hui raisonnablement compétitives. Néanmoins, elles ne remplissent pas encore les conditions requises d'universalité et d'égalité du suffrage : un citoyen sur sept n'est toujours pas inscrit sur les listes électorales, et cette exclusion est directement liée à d'importantes inégalités économiques et socioculturelles. Par ailleurs, s'il existe une liberté d'expression formelle, les opinions publiques se construisent dans un espace faussé par l'accès inégal à l'éducation et à l'information, sous l'influence de médias fortement orientés par des intérêts financiers et privés, qui promeuvent ouvertement leurs préférences lors des campagnes électorales. Enfin, la portée des élections reste limitée par l'influence de ces mêmes groupes d'intérêt, qui préservent leurs « chasses gardées » hors de l'atteinte des gouvernements élus. Dans ces conditions, il convient de s'interroger sur les effets du suffrage sur le processus politique et social. En l'absence de projets alternatifs en compétition, le vote offre-t-il véritablement des options aux citoyens ? Il s'agit, pour le moins,

---

12. En 2007, on recense au Guatemala 75 000 agents de sécurité privée, employés par quelque 70 entreprises, parmi lesquelles une majorité fonctionne sans registre légal. Pour sa part, la police nationale compte environ 30 000 agents précarisés, peu payés, mal équipés et avec une formation professionnelle insuffisante.

d'élections problématiques, dont la légitimité démocratique est loin de faire l'unanimité.

Ce qui surprend, également, c'est le décalage entre les campagnes, agressives et artificiellement polarisées, et le comportement des électeurs, désintéressés, dépolitisés et apathiques. En revanche, la fragmentation partisane pose des problèmes bien réels en termes de gouvernabilité. Álvaro Colom a gagné sous le sigle d'un parti qui contrôlera moins d'un tiers des 158 sièges parlementaires, face à un Congrès qui lui sera hostile, sans loyautés ni disciplines partisanes. Dès sa première conférence de presse, le nouveau président a convoqué les partis d'opposition à une grande concertation. Avec 51 députés élus pour la UNE, Colom doit négocier avec une douzaine de « groupes » parlementaires, dont les 29 législateurs du PP, les 24 de la GANA, les quatorze du FRG (menés par l'ancien dictateur Ríos Mont), les sept du PU, les cinq de la UCN, les quatre de l'EG et du CASA, les trois du PAN, les deux de la URNG, celui de la UD, mais aussi les treize députés du « Bloc Indépendant » et, enfin, la députée qui s'est déclarée totalement indépendante en juin 2008. Il est donc peu probable qu'un accord stable puisse être trouvé. Lors de la dernière période parlementaire, pas moins de 68 députés (43 % du total) avaient changé d'affiliation politique. Dans ce contexte, certains prévoient déjà une division au sein même du groupe de la UNE, dont les intégrants sont loin d'être tous des inconditionnels de Colom [13].

Par ailleurs, les premiers résultats des enquêtes menées sur les 139 cas graves de violence recensés pendant la campagne électorale – dont 51 homicides de candidats et sept de militants – sont préoccupants. La presse a signalé que certains de ces assassinats sont liés à des disputes internes aux partis. Ainsi, la démocratisation aura contribué à pacifier la vie politique nationale, mais la violence persistante n'est pas encore entièrement dépolitisée. Si le conflit armé appartient au passé, de nouvelles formes de violence s'affirment, dans un contexte d'impunité généralisée et sous l'influence du crime organisé.

Pour terminer, est mise en jeu la capacité du nouveau gouvernement à articuler les pouvoirs municipaux et départementaux, avec la défaillante administration centrale. Le Guatemala continue à être le pays le plus fragmenté d'Amérique centrale, qui ne parvient pas encore à intégrer sa considérable diversité régionale, sociale et culturelle dans une dynamique d'envergure nationale. Là réside le véritable défi pour le futur président, et sa limitation la plus réelle. Pour ne pas parler des multiples dettes accumulées par tous les candidats au long d'une campagne aussi monotone et déficiente, que longue et coûteuse. Leurs dépenses disproportionnées ne peuvent que choquer dans un des pays les plus pauvres de toute l'Amérique latine. Sans inclure les prolongées

---

13. Dès les premiers mois du gouvernement Colom, des tensions internes au sein de la UNE ont été rendues publiques. Celles-ci risquent de s'aggraver par les luttes pour le contrôle du parti, en vue de la désignation de son prochain candidat présidentiel (contrairement aux députés et aux maires, le président de la République ne peut pas se représenter).

et très précoces précampagnes, pour lesquelles Colom et Pérez Molina ont dépensé respectivement plus de 13 millions d'US$, dépassant largement les limites légales lors de la période officielle.

Ceci contraste d'une manière insolite avec le désintérêt de la population pour le processus électoral. Le plus surprenant, lors du ballottage du 4 novembre 2007, étaient moins ses résultats, inattendus à plus d'un égard, que le calme qui a régné pendant le scrutin. En dehors des bureaux du Tribunal électoral – installés dans un luxueux et isolé hôtel – et des sièges de la UNE et du PP, les rues désertes de la capitale ne faisaient pas penser à une fête civique, mais aux lendemains du jour des morts qui venait d'avoir lieu. Ce fut une nuit froide d'hiver, d'un silence inusuel, au pays de l'éternel printemps.

ÉLÉMENTS BIBLIOGRAPHIQUES

ARNSON, Cynthia J. (ed.), *Comparative peace processes in Latin America*, Stanford, Stanford University Press, Woodrow Wilson Center Press, 1999.

ASOCIACIÓN DE INVESTIGACIÓN Y ESTUDIOS SOCIALES (ASIES), *Guatemala: proceso electoral 2007. Información y datos básicos*, Departamento de investigaciones sociopolíticas de Asies, Guatemala, 28 août 2007.

ASOCIACIÓN DE INVESTIGACIÓN Y ESTUDIOS SOCIALES (ASIES), *Guatemala: Monografía de los Partidos Políticos 2000-2004*, Departamento de Investigaciones Sociopolíticas, Guatemala, décembre 2004.

AZPURU, Dinorah, Juan Pablo PIRA & Mitchell A. SELIGSON, *Cultura política de la democracia en Guatemala: 2006. VII Estudio de cultura democrática de los guatemaltecos*, Universidad de Vanderbilt, Agencia de los Estados Unidos para el Desarrollo Internacional, 2006.

AZPURU, Dinorah, Ligia BLANCO, Ricardo CÓRDOVA MACÍAS, Nayelly LOYA MARÍN, Carlos G. RAMOS y Adrián ZAPATA, *Construyendo la Democracia en sociedades posconflicto. Un enfoque comparado entre Guatemala y El Salvador*, Guatemala, F&G Editores/IDRC, 2007.

BONEO, Horacio & Edelberto TORRES-RIVAS 2000, *¿Por qué no votan los guatemaltecos?* F&G Editores, Guatemala.

CHASE-DUNN, Christopher, Susanne JONAS & Nelson AMARO (ed.), *Globalization on the ground postbellum Guatemalan democracy and development*, Maryland, Rowman & Littlefield Publishers, 2001.

DOMÍNGUEZ, Jorge & Marc LINDBERG (ed.), *Democratic transitions in Central America*, Gainesville, University Press of Florida, 1997.

FORTÍN, Javier, « Transfuguismo parlamentario en Guatemala: Algunas causas », Guatemala, *Cuadernos de información política n° 15*, FLACSO-Guatemala, 2008.

HERMET, Guy, ROUQUIÉ, Alain & Juan LINZ, *¿Para qué sirven las elecciones?*, México, Fondo de Cultura Económica, 1982.

INTERNATIONAL INSTITUTE FOR DEMOCRACY AND ELECTORAL ASSISTANCE (IIDEA) (2002), *Voter Turnout since 1945. À Global Report*, Stockholm, IIDEA.

LEHOUCQ, Fabrice & David L. WALL (2001), « ¿La explicación es institucional o sociológica? Tasas de participación electoral en democracias nuevas », en Edelberto Torres-Rivas et al., *Construyendo la democracia electoral en Guatemala*, Guatemala, Facultad Latinoamericana de Ciencias Sociales, pp. 105-151.

McCLEARY, Rachel, *Dictating democracy Guatemala and the end of violent revolution*, Gainesville, University of Florida Presse, 1999.

OLASCOAGA, Daniel 2003, *Democracia en Guatemala: un modelo para armar.* Facultad Latinoamericana de Ciencias Sociales, Guatemala.

ORGANIZACIÓN DE ESTADOS AMERICANOS (OEA), *Resultados Electorales y Participación. Elección para Presidente de la República*, Programa de Asistencia Técnica Électoral de la Organización de los Estados Americanos, Guatemala, novembre 2007.

PAYNE, Mark, ZOVATTO, Daniel, Mercedes MATEO DÍAZ *et alii*, *La política importa. Democracia y desarrollo en América Latina*, Washington, D.C., Banco Interamericano de Desarrollo, Instituto Internacional para la Democracia y la Asistencia Électoral, seconde ed., 2006.

PÉREZ SÁINZ, Juan Pablo & Minor MORA SALAS, *La persistencia de la miseria en Centroamérica. Una mirada desde la exclusión social*, San José, Fundación Carolina, FLACSO-Costa Rica, 2007.

RULL, Mathias, « Rompiendo mitos y barreras: La participación indígena en los procesos electorales de Guatemala », en SONNLEITNER, Willibald (coord.), *Territorios y fronteras del voto: Una agenda de geografía electoral para Centroamérica*, TRACE, n° 48, décembre 2005, CEMCA, IHEAL, BID.

SCHEDLER, Andreas, "Elections without Democracy: The Menu of Manipulation", *Journal of Democracy*, vol. 13, n° 2, 2002, pp. 36-50.

SICHER MORENO, Gonzalo, *Historia de los partidos políticos guatemaltecos. Distintas siglas de (casi) una mismo ideología*, Guatemala, Ed. Nojib'sa, seconde edición, 1999.

SIEDER, Rachel (ed.), *Central America: Fragile Transition*, New York, St. Martin's Press, 1996.

TRIBUNAL SUPREMO ELECTORAL. *Memorias de las elecciones de 1985, 1988, 1990, 1993, 1995, 1999 y 2007*, Guatemala.

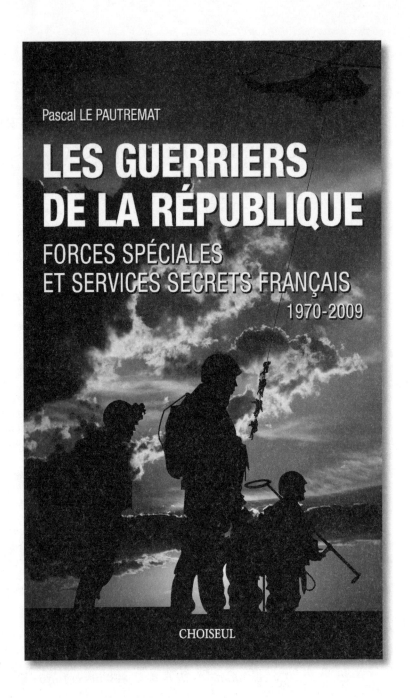

Pascal LE PAUTREMAT

LES GUERRIERS DE LA RÉPUBLIQUE

FORCES SPÉCIALES ET SERVICES SECRETS FRANÇAIS

1970-2009

CHOISEUL

20 euros | 288 pages | 978-2-916722-66-5
disponible en librairie et sur le site internet
www.choiseul-editions.com
CHOISEUL ÉDITIONS

L'AFFAIRE ZOILAMÉRICA NARVÁEZ CONTRE DANIEL ORTEGA OU LA CADUCITÉ DE « L'HOMME NOUVEAU »

Delphine LACOMBE *

« *Lundi 2 mars 1998. Très chers amis, très chères amies : j'écris cette lettre à ceux qui par leur compagnie, estime et solidarité, accompagnent quotidiennement non seulement mes activités professionnelles et politiques, mais aussi ma vie personnelle (...). D'une certaine manière, j'ai partagé avec vous mon processus de réflexion et de prises de décisions à l'égard de faits et de situations de ma vie qui bien qu'individuels dépassent le seul champ personnel, traversent certains principes, certaines valeurs éthiques qui pourraient avoir des effets dans de multiples aspects de la vie nationale. Ce processus n'a été ni court, ni simple. (...) les décisions, au final, ne sont que miennes (...) Demain mardi commence pour moi une nouvelle étape de ma vie (...) D'une part, je cesse d'utiliser le nom Ortega, celui qui ne m'appartient pas, et auquel pour des raisons éthiques, je ne m'identifie pas. Depuis l'âge de onze ans, et pendant de nombreuses années, j'ai été agressée sexuellement et de façon réitérée par celui qui, en dépit de sa condition de père de famille, a abusé de son pouvoir, a semé en moi (j'étais alors une enfant), peurs et incertitudes, et a affecté émotionnellement le développement de mon enfance et de mon adolescence. Dépasser les effets de cette agression prolongée, avec le harcèlement, la menace, les pressions et le chantage qui l'ont accompagnée, n'a pas été facile.*
D'autre part, j'affirme mon droit à maîtriser mon propre avenir. Cela n'a pas été le cas pour mon passé. Je revendique mon droit, comme citoyenne, comme femme et comme militante sandiniste à agir selon ce que me dicte ma propre conscience. (...)En ces moments difficiles, présents et futurs, j'espère que l'éthique et l'humanisme seront les guides de chacun de nous. Cela nous permettra de nous retrouver dans la recherche de la vérité.
Avec l'estime de toujours,

* Delphine Lacombe est doctorante en sociologie à l'École des hautes études en sciences sociales.

Zoilamérica [1]. »

« Scandale sexuel! Une lettre ébranle le pays! » Ce lundi 2 mars 1998, cette déclaration [2] de Zoilamérica Narváez, fait l'effet d'un séisme. Un séisme d'autant plus fort, que la personne dénoncée, commandant de la révolution sandiniste, fait figure de héros civilisateur. La lettre est l'objet de tous les commentaires. Certains y voient leur anti-sandinisme conforté, tandis que beaucoup crient au complot contre-révolutionnaire. On disqualifie l'agression et la parole de Zoilamérica: « nous le savions, elle était amoureuse du commandant ». On reconnaît au contraire le courage de la jeune femme, en réclamant avec elle le droit à la parole, au débat public et à la vérité. Daniel Ortega reste, lui, silencieux [3] lors d'une conférence de presse organisée en réponse aux accusations de sa fille adoptive. C'est sa compagne, Rosario Murillo, mère de Zoilamérica, qui se charge aussitôt de nier les faits. Entourée de deux membres de la direction nationale du Front sandiniste de libération nationale (FSLN) ainsi que de ses enfants, elle s'interroge sur les motivations de sa fille, qui vient subitement salir la réputation « d'un homme toujours dévoué à son peuple [4] ». Un journaliste de _La Prensa_ souligne la similitude du visage d'Ortega, ce 4 mars 1998, avec celui de sa défaite électorale du 25 février 1990. Rosario Murillo implore le respect de la vie privée et de la mémoire révolutionnaire. Zoilamérica revendique, elle, l'exercice de ses droits: la polémique est lancée. Depuis que l'ancien président est revenu au pouvoir, le 10 janvier 2007, elle ne tarit pas. Gloria Rubín, ministre de la Femme au Paraguay, a fait exclure le chef d'État nicaraguayen du protocole d'investiture du président Fernando Lugo [5]. Des protestations similaires ont été organisées au Honduras, en vue de la signature de l'Alternative bolivarienne pour les Amériques (ALBA) [6].

Les implications politiques, judiciaires et sociales du scandale sont aujourd'hui indispensables à la compréhension des derniers événements de l'histoire nicaraguayenne. La transfiguration d'Ortega passant de

1. Zoilamérica est née le 13 novembre 1967 à Managua. Elle est la fille de feu Jorge Narváez Parajón et de Rosario Murillo Zambrano. Aux yeux de la loi nicaraguayenne son nom est Zoilamérica Ortega Murillo: Daniel Ortega l'adopta en 1986. Zoilamérica Narváez a reçu une formation en sociologie à l'université centraméricaine (UCA) de Managua. Elle a milité au FSLN. Elle fut directrice exécutive du Centre d'études internationales. Elle dirige à l'heure actuelle la fondation _Sobrevivientes_, créée en 2002 pour venir en aide aux victimes d'abus sexuels.
2. La sélection des extraits et la traduction sont de moi.
3. Daniel Ortega n'interviendra que très rarement pour se référer à l'affaire. Notamment le 26 août 1998 pour _El Nuevo Diario_ et le 11 novembre 1998 devant les journalistes du « Canal 8 » lors du programme télévisé « 100 % noticias »; il déclare « ce qu'elle dit est faux, elle ment (...); il y a eu beaucoup d'amour, beaucoup d'affection, les accusations sont fausses ».
4. Rosario Murillo, lors de la conférence de presse du couple Murillo-Ortega, le 3 mars 1998.
5. Le 15 août 2008.
6. Le 25 août 2008.

Caricature de Guillén publiée dans *La Prensa* le 7 juillet 2000. Daniel Ortega s'adressant à Arnoldo Alemán (el « Gordo »), et regardant la jeune femme qui représente les institutions, alors qu'ils sortent ensemble de la voiture « Pacte » : « Elle est à nous ! » Le passant : « La délinquance institutionnelle me semble toujours plus dangereuse que celle de la rue ». Le pacte entre Ortega et Alemán est représenté comme un viol des institutions, et met ainsi en équivalence les deux hommes. L'allusion est d'autant plus directe que l'un des objectifs du pacte a été pour Ortega d'échapper aux accusations de viols par sa fille adoptive Zoilamérica Narváez.

l'image d'un guérillero révolutionnaire anti-yankee à celle d'un apôtre de la réconciliation, n'est pas plus étrangère à l'affaire que ne le sont les recompositions du sandinisme. L'exemplarité de la controverse, qui a même dépassé les frontières du Nicaragua, témoigne de l'efficacité d'un travail de sensibilisation à l'encontre des violences masculines contre les femmes mené par le féminisme. Elle a aussi stimulé le travail de réflexion tant sur les pratiques clientélistes et prédatrices des élites politiques que sur leur machisme.

J'analyserai le premier moment de l'affaire en soulignant les formes et les ressorts de l'indignation après les deux témoignages successifs de Zoilamérica Narváez. J'expliquerai de quelle manière ce scandale a constitué une épreuve pour les sandinistes. Je montrerai ensuite comment l'action collective des femmes s'est saisi de la publicisation des accusations et contre-accusations, pour diffuser un certain travail de sensibilisation contre le viol et les abus sexuels, et tout particulièrement ceux de caractère incestueux et intrafamiliaux.

J'explorerai dans un second temps les aspects judiciaires de la controverse. Il s'agira de montrer comment Daniel Ortega a orchestré le maintien de son immunité parlementaire en pactisant avec le président d'alors Arnoldo Alemán, puis a été blanchi grâce à l'intervention d'une juge fidèle au FSLN.

On s'interrogera pour finir sur les résonances plus récentes de l'affaire : le silence de Zoilamérica Narváez coexiste avec les mobilisations féministes internationales contre un président Ortega désormais allié avec l'Église catholique. Si la lutte publique contre les violences de genre à l'encontre des femmes a érigé Zoilamérica en symbole, une boîte de Pandore reste ouverte dans l'espace privé. Celle d'un discours critique des féministes sur « une révolution machiste [7] », où les abus et le harcèlement dans les files du FSLN ont été passés sous silence.

LA DÉNONCIATION DE ZOILAMÉRICA : LE SCANDALE ET L'ÉPREUVE POLITIQUE

La manifestation du scandale et la recherche plurielle de ses significations

« L'incertitude de sa signification et l'évidence de la rupture qu'il provoque caractérisent l'événement [8] ». Voilà qui éclaire fort bien le scandale dont la presse nicaraguayenne se fait l'écho au lendemain des déclarations de la jeune femme. La lettre est concise, explicite. Il s'agit de dénoncer une violence sexuelle continue, commencée alors que Zoilamérica avait 11 ans et son agresseur 34, et exercée contre la jeune femme pendant près de vingt ans. Elle donnera aussitôt lieu à de très nombreux commentaires. La rupture ressentie par l'opinion tient aux faits dénoncés, mais surtout au statut de l'accusé.

Souvent admiré comme révolutionnaire émancipateur, les attaques ou les éloges à l'adresse d'Ortega [9] avaient eu jusqu'alors toujours trait au champ traditionnel du politique. Les commentaires relevaient d'un jugement sur

---

7. On trouve dès après la décennie sandiniste quelques ouvrages ou articles qui confortent cette thèse, souvent sous la plume de féministes internationalistes ayant collaboré à l'effort révolutionnaire. Voir par exemple : Alicia Garriazo, « La Revolución no da la solución, la mujer en la Nicaragua sandinista », *Nueva Sociedad*, n° 113, Mayo-Junio 1991, pp. 51-58.

8. Bensa A, Fassin E, « Les sciences sociales face à l'événement », *Terrain*, n° 38, mars 2002, p. 17.

9. Daniel Ortega est né à La Libertad, Chontales, Nicaragua, le 11 novembre 1945. Militant du FSLN, il est incarcéré par la *Guardia Nacional* de Somoza de 1967 à 1974. Commandant de la révolution et membre de la direction nationale du FSLN, il participe à la junte de reconstruction nationale après la chute du dictateur et devient de facto chef d'État, après les démissions de la junte de Violeta Chamorro et Alfonso Robelo. Il est président de la République de 1984 à 1990, cède le pouvoir à Violeta Chamorro quand elle remporte les élections nationales du 25 février 1990. Il est réélu président de la République le 6 novembre 2006.

l'exercice du pouvoir et sur son inscription idéologique ou bien sur les formes d'usage de la violence militaire pendant les années 1980. On jugeait Daniel Ortega en tant que chef politique et chef guerrier. On analysait son parcours en tant que leader d'un parti totalitaire ou comme homme politique ayant su s'incliner devant la défaite des urnes et céder le pouvoir de manière démocratique. S'il s'agissait de qualifier l'homme, on reconnaissait le héros qu'il avait été, son courage physique et moral tout au long de ses années de prison et de torture. Il était l'incarnation d'une lutte révolutionnaire présentée comme l'héritière directe du général Sandino, porteuse d'une dignité nationale souveraine contre la dictature et l'impérialisme.

La vocation civilisatrice des sandinistes mettait en avant une composante sexuée : construire « l'homme nouveau » et la « femme nouvelle ». Les femmes avaient amplement participé à la lutte armée. On promouvait leur participation à la vie politique et on en faisait la preuve même du progressisme de la révolution, qui devenait l'exemple réussi d'une convergence des luttes : émancipation d'un peuple face à l'impérialisme, projet égalitaire, émancipation des femmes. Le domaine législatif, notamment le droit de la famille, avait connu de profonds bouleversements grâce à la réforme de la *patria potestad* ou à celle du divorce. Dès les premiers mois du régime sandiniste, il s'était agi d'interdire l'usage commercial du corps des femmes dans la publicité [10]. Sur beaucoup d'aspects en rapport direct avec l'ordre sexué, les *comandantes* de la *Dirección Nacional* du FSLN marquaient leur rupture avec le somozisme, présenté comme le régime du désordre sexuel et de l'avilissement des femmes [11].

Or avec la dénonciation de Zoilamérica, Ortega est attaqué sur des crimes commis dans le huis clos de l'inceste, tout autant qu'il est dénoncé en tant qu'homme public ayant promu et contrôlé un ordre social-sexué

---

10. Les principales modifications juridiques ayant trait aux rapports sociaux de sexe au cours du régime sandiniste : égalité salariale entre hommes et femmes : *Estatuto sobre derechos y garantías de los Nicaragüenses*, 1979 ; égalité devant le droit au divorce : *ley para la disolución del matrimonio por voluntad de una de las partes* 1988 ; reconnaissance des liens matrimoniaux hors mariage : 1987 ; réforme de la *patria potestad* : *ley reguladora de las relaciones entre madre padre e hijos*, 1982. Sur le principe de construction de « l'homme nouveau » et de « la femme nouvelle », on peut se reporter aux nombreux ouvrages de Margaret Randall sur la participation des femmes à la révolution sandiniste, où l'on peut lire les implications escomptées pour les rapports hommes-femmes. Margaret Randall, *Todas estamos despiertas, Testimonios de la mujer nicaragüense de hoy*, Siglo Veintiuno editores, 1980.

11. On trouvera une analyse plus détaillée sur cet aspect dans González Victoria, (2001), "Somocista Women, Right-Wing Politics and Feminism in Nicaragua, 1936-1979", Kampwirth Karen, (dir.), *Radical Women in Latin America, Left and Right*, University Park, The Pennsylvania University Press, pp. 41-78. Sur une histoire détaillée de la participation des femmes au régime sandiniste, et sur l'affirmation progressive du féminisme face aux instances dirigeantes du FSLN pendant les années 1980 : Clara Murguialday, *Nicaragua, revolución y feminismo (1977-1989)*, Editorial revolución, 1990.

dont il a lui-même enfreint les normes. Ce sont les terrains du droit pénal et de l'éthique qui sont simultanément en jeu. Mais les premières réactions renvoient d'abord à ce que l'homme dénoncé incarne : avec lui c'est bien en toile de fond une révolution, un parti, et l'exercice du pouvoir – politique et masculin – dont il s'agit de débattre.

Le contexte politique, et le sandinisme revendiqué de Zoilamérica – qui a participé aux jeunesses sandinistes et à la commission de transformation du parti – amplifient alors la portée de ses premières déclarations. Elles précèdent de deux mois le second congrès ordinaire du FSLN devenu depuis 1990 le premier parti d'opposition. Ses représentants doivent y être élus, au premier rang desquels le secrétaire général de l'organisation. On annonce alors la mort politique de Daniel Ortega. On évoque une opportunité éthique pour le Front, l'occasion d'un renouvellement de ses dirigeants.

Parallèlement, les contre-accusations fusent : « ma fille est dérangée et manipulée [12] » dit Rosario Murillo. « Je n'y crois pas, et Zoilamérica a toujours été une fervente admiratrice de Daniel [13] » affirme Tomás Borge, membre fondateur du FSLN. Des textes manuscrits ressurgissent pour étayer le propos : une dédicace admirative de Zoilamérica à « Enrique », le pseudonyme d'Ortega pendant sa clandestinité. L'ex-mari de Zoilamérica, Alejandro Bendaña, qui déclare publiquement avoir été témoin du harcèlement sexuel, devient lui aussi la cible de Rosario Murillo. Elle l'accuse d'avoir abusé des enfants du couple.

En réalité, les premières salves à l'encontre de la jeune femme ne démentent pas forcément les faits dénoncés. Elles mobilisent plutôt des personnages secondaires – proches, amis en défense de Zoilamérica – pour la discréditer à travers eux, cherchent souvent à insinuer le consentement de la dénonciatrice, ou à témoigner de sa folie, et invoquent toujours l'honneur intouchable du commandant révolutionnaire.

C'est après deux mois d'une polémique continue qu'intervient alors le second moment de l'événement-scandale. Zoilamérica Narváez publie un long témoignage [14] qui s'inscrit dans la récente qualification des crimes du

---

12. C'est en substance ce que répétera Murillo jusqu'à la réconciliation des deux femmes en 2004. Elle insinuera aussi à plusieurs reprises que Zoilamérica est amoureuse de Daniel Ortega. Voir par exemple _La Prensa_, 14 décembre 2000, « De Zoilamérica dice que es mitómana y deja entrever que está enamorada del líder sandinista ».

13. _El Nuevo Diario_, 11 mars 1998.

14. On trouve le témoignage de Zoilamérica Narváez, sur le site internet suivant : http://www.sandino.org/zoila.htm. Le témoignage est daté du 22 mai 1998 et a été diffusé dans son intégralité dans la presse les jours suivants (_La Prensa_, _El Nuevo Diario_), ainsi que sous forme d'un petit fascicule distribué notamment au sein de l'action collective des femmes. Il n'a pas connu depuis lors d'autres formes de diffusion.

code pénal [15] : attouchements à partir de onze ans, viols répétés à partir de quinze, harcèlement jusqu'à la dénonciation [16]. Elle y détaille les situations, les lieux, et les pratiques sexuelles imposées par l'agresseur, mais aussi l'obligation au secret, la manipulation, la quasi-indifférence de Rosario Murillo, ou la censure de la part de certains dirigeants du FSLN.

Le texte, qui est aussi la collecte des preuves quatre jours avant le lancement du processus judiciaire, est jugé pornographique par une presse qui recommande d'en écarter les âmes sensibles. Zoilamérica rappelle l'absence de consentement. Elle dit la douleur de la violence sexuelle et des coups. Elle décrit les actes sexuels imposés avec des proches d'Ortega, ou en présence de tierces personnes dans un bureau de la *Casa de Gobierno* (maison présidentielle), raconte qu'Ortega filmaient parfois les viols. Elle précise à plusieurs reprises les traits de la torture psychologique en reprenant les dires de l'agresseur. À la petite fille qui revient de l'école « Ca y est tu es contente ? On te l'a fait ? ». Après les premières règles de l'adolescente : « Tu es prête, maintenant ». Ou encore : « Tu verras, avec le temps ça te plaira ».

Elle relate la résignation de sa mère qu'elle juge à la fois complice et victime. Elle dénonce le fait que Rosario Murillo la tienne pour responsable des comportements d'Ortega et explique comment ce dernier la manipule en prétendant la protéger d'une mère jalouse et peu aimante. C'est d'ailleurs lui qui fait mine d'être non seulement le garant de la sécurité, mais aussi le protecteur de la santé fragile de Zoilamérica. Il administre les médicaments, et fait pression sur un médecin quand il craint que ce dernier ne soit informé des violences. Elle explique aussi qu'aux yeux de Daniel Ortega, l'adoption officialisée en 1986 fait office de mariage : « je portais désormais son nom, non pas parce que je devenais sa fille, mais parce que j'étais son objet sexuel ».

C'est en somme l'irruption de la « famille révolutionnaire » sur la scène publique. On y découvre une révolution en coulisse, une contrepartie « sacrificielle » du discours émancipateur public des peuples et de « la » femme. « J'ai cru que par mon sacrifice je contribuais à la révolution » affirme Zoilamérica. Elle raconte comment elle s'est longtemps auto-persuadée que là était son « devoir moral », que, comme le lui disait avec insistance Ortega « [elle] contribuait à sa stabilité émotionnelle » et ainsi qu'elle « protégeait la révolution ». Elle ajoute : « il pensait que j'étais

---

15. Ley No. 150 : Ley de Reformas al Código Penal Ley No. 230 : Ley de Reforma y Adiciones al Código Penal in República de Nicaragua. *Código Penal de la República de Nicaragua*. Managua : Bibliografias Técnicas, 2003.
16. Les normes en vigueur au moment de l'affaire présument systématiquement l'absence de consentement sexuel avant l'âge de 14 ans. Elles se réfèrent aux « abusos deshonestos » s'il s'agit d'attouchements sans pénétration (art. 200, peines encourues : 3 à 6 ans de prison, jusqu'à 12 ans en cas de lien de parenté entre agresseur et victime), à la « violación » s'il y a pénétration (art. 195, peines encourues : 15 à 20 ans de prison – il y a circonstances aggravantes si l'agresseur a un statut d'autorité sur la victime, ou un lien familial avec elle), à « acoso o chantaje con propósitos sexuales » (art. 197 : un à deux ans de prison).

la personne indiquée (...) que j'étais la seule à pouvoir lui procurer sa tranquillité d'esprit [17], et qu'ainsi il pouvait mieux honorer les devoirs de son rendez-vous avec l'Histoire ».

Quand elle demande de l'aide au prêtre et ministre des Affaires étrangères Miguel D'Escoto, la réponse est du même acabit : « porter cette croix avec résignation », « veiller à l'image et à la stabilité de l'homme d'État [18] ».

« Rechercher le bonheur pour soi seul était considéré comme égoïste et [perçu comme la volonté de] se situer au-dessus de la révolution » écrit-elle, reprenant les dires de Daniel Ortega et le standard discursif que les nicaraguayennes ont encore en mémoire. Avec le témoignage de Zoilamérica, cette notion de sacrifice acquiert sans nul doute un autre sens. Il n'est plus volontaire mais a tous les traits de la contrainte et de l'abus. La propagande des années 1980 le voulait consenti, il est au contraire ici synonyme de viol.

Bien que Zoilamérica affirme être d'abord dans l'attente d'une reconnaissance publique par sa mère et par Ortega des viols commis, et ne pas vouloir faire le procès d'un régime, son témoignage du mois de mai s'inscrit pourtant nettement dans une critique des modes d'exercice du pouvoir au cours de la décennie sandiniste. Elle ne mentionne pas seulement la « dépravation d'un homme », mais également son statut « protagoniste d'une révolution sociale et politique, président de la République puis leader du principal parti d'opposition ». Elle dénonce l'abus de « [sa] condition de militante sandiniste », depuis « une vie marquée par Sandino et le sandinisme », s'érige contre la « double morale ». Sa participation au sein de la commission de transformation du FSLN, ou son passage au ministère des Affaires étrangères lui ont fait prendre conscience d'une double réalité de la révolution : « son visage fait de mystique et de mythes projetés aux membres du FSLN par l'éducation politique et celui des pratiques de pouvoir au sein des institutions d'État, où se sont manifestées la corruption et la malhonnêteté, n'ayant rien à voir avec les prêches [des dirigeants] à destination de la base ». Elle propose alors un nouvel ordre normatif : « [Ortega] m'a fait du mal depuis l'exercice du pouvoir suprême du pays, depuis une tribune qui aujourd'hui doit nous faire reconnaître que l'exercice de la politique doit être marqué par un profond sens éthique et humain » et précise « je veux dire par là qu'il ne peut y avoir une proclamation et un discours politique qui ne soit pas en accord avec une pratique personnelle et individuelle [19] ».

---

17. Narváez reprend aussi les justifications de Daniel Ortega : une conduite sexuelle « sévèrement affectée par ses années de prison ».
18. Le nom du prêtre n'apparaît pas dans le témoignage. Il sera révélé en juillet 2001 dans une lettre de Narváez à D'Escoto, après que ce dernier a minimisé la dénonciation de la jeune femme. Voir *Confidencial* Año 5, n° 250, semaine du 22 au 28 juillet 2001 : Zoilamérica Narváez, « Cómplice de la conspiración del silencio ».
19. Témoignage de Zoilamérica.

Cette sphère privée, dérogeant intrinsèquement au droit commun [20], est ainsi révélée dans l'espace public comme la métaphore d'un pouvoir révolutionnaire corrompu. Le témoignage est perçu comme le récit implicite d'une époque, qui déplace voire inverse certains principes d'intelligibilité partie prenante de l'imaginaire national, pour ne pas dire de « l'inconscient collectif » comme l'affirmera la féministe Sofía Montenegro dans une réflexion inspirée d'Octavio Paz [21].

Selon elle le Nicaragua a remplacé le père conquistador par le héros révolutionnaire, censé apporter à la communauté protection et unité, et l'accès à la souveraineté malgré les entraves dressées par Somoza et les États-Unis. Certes, avec la *piñata* [22], les « héros firent figure d'antihéros et commencèrent à ressembler de plus en plus au père infâme » soutient-elle : autoritaire, insensible, prédateur et corrompu. Mais la parole de Zoilamérica va au-delà, elle exprime un « soupçon dévastateur », car elle rabat les traits du héros sur ceux du père conquérant, dont le pouvoir arbitraire et fondateur des nations métisses s'est affirmé par le viol des femmes, et le rejet de sa propre progéniture. Le héros devient violeur, à l'image aussi, des *marines* nord-américains.

Daniel Ortega est ici présenté comme celui qui souilla comme jamais auparavant des référents intouchables.

Le scandale se présente ainsi dans cette première phase de la controverse comme une « turpitude collective », comme une « crise politique avec sa capacité à franchir des frontières plus ou moins établies telles que celles qui séparent le privé et le public, le dedans et le dehors des institutions, des secteurs politiques voire les frontières nationales [23] ».

Par le langage du droit, Zoilamérica propose la reconstruction éthique d'un sandinisme de type nouveau. C'est ainsi que s'organisent de façon

---

20. Cf. Christine Delphy, « L'État d'exception : la dérogation au droit commun comme fondement de la sphère privée », dans L'Ennemi principal, *Penser le Genre II*, éditions Syllepse, 2001.
21. Montenegro, Sofía. « La "Hérotica" nacional masculina », *Debate Feminista*, avril 1999, vol. 19, n° 10, pp. 223-227. Le texte est également accessible sur Internet : http://www.cinco.org.ni/publicaciones/31
22. Appropriations illégales pratiquées dès après la défaite électorale du 25 février 1990 par certains hiérarques et cadres du FSLN.
23. Michel Dobry, *Sociologie des crises politiques*, Presses de la Fondation nationale des sciences politiques, 1992 [1986] cité dans Luc Boltanski, Elisabeth Claverie « Du monde social en tant que scène d'un procès » dans Boltanski L., Claverie E., Offenstadt N., Van Damme S., *Affaires scandales et grandes causes De Socrate à Pinochet*, Stock, 2007, pp. 408-409. Sur la répercussion de l'affaire à l'international voir notamment la Une de *La Prensa*, 5 mars 1998, « Repercute en el mundo acusación contra Ortega ».

plus précise des réseaux de soutien autour de « discours incompatibles [24] », tantôt pour poursuivre la transgression entamée par Zoilamérica, tantôt pour discréditer ses affirmations.

Il est particulièrement instructif à ce titre d'interroger deux dynamiques, celle qui tient au sandinisme lui-même et à ses recompositions par les déclarations de la jeune femme, et celle d'une « socialisation par la dispute [25] », ayant trait au viol et aux abus sexuels dans les familles, depuis l'action collective des femmes.

Une épreuve politique pour le FSLN et pour les sandinistes

Si les déclarations pour ou contre Zoilamérica ébranlèrent tous les groupes politiques, c'est auprès des sandinistes du FSLN ou de ceux situés aux périphéries qu'elles eurent un effet particulièrement retentissant.

Un clivage se dessine d'emblée en séparant la ligne orthodoxe du FSLN de celle qui dès 1994 avait commencé à se démarquer du leadership orteguiste en se regroupant au sein du Mouvement de rénovation sandiniste. Une autre ligne de partage sépare l'action collective des femmes entre celles qui avaient rompu avec le FSLN dès le début des années 1990 et celles qui conservaient leur loyauté à l'égard du parti. Quelques intellectuels déjà distants du sandinisme officiel saisissent l'affaire comme le motif de leur rupture définitive avec le FSLN. D'autres, notamment des féministes, présentent leur mémoire (auto)critique de la révolution. Dans tous les cas de figure, c'est bien le degré de loyauté à l'égard du FSLN qui détermine les prises de positions. Les intellectuelles ou représentantes de groupes politiques ou de mouvements, mais aussi les militantes qui avaient déjà pris une certaine distance à l'égard du FSLN, vivent alors la prise de parole de Zoilamérica Narváez comme une véritable épreuve politique ou personnelle : pour beaucoup, la réaction publique était perçue comme inévitable. Elle impliquait non seulement l'arbitrage en faveur de l'un ou de l'autre des deux protagonistes de l'affaire mais aussi une argumentation ne pouvant que difficilement s'abstraire d'une lecture des rapports de pouvoir entre hommes et femmes, et de ceux plus généralement en cours pendant la révolution. La médiatisation de cette « rupture d'intelligibilité » est en ce sens inédite.

---

24. Expression empruntée à Luc Boltanski et Elisabeth Claverie, « Du monde social en tant que scène d'un procès », Luc Boltanski, Elisabeth Claverie, Nicolas Offenstadt, Stéphane Van Damme *Affaires, Scandales, et grandes causes. De Socrate à Pinochet*, pp. 395-452.

25. Au sens de la socialisation par le conflit de G. Simmel. Georg Simmel, *Le Conflit*, Paris, Circé, 1992.

Certains néanmoins, comme les ténors du Mouvement de rénovation sandiniste, ne prennent pas part à la polémique [26].

Du côté de la militance du FSLN, pratiques et discours fort connus de l'organisation politique scellent assez rapidement le sort de l'affaire : sa résolution doit être privée et familiale, éventuellement interne au parti. Le 6 mars 1998, la direction nationale du FSLN publie un très court communiqué exprimant un « soutien catégorique » à Daniel Ortega [27].

Dans une variante d'apparence plus encline à la prise en considération des récits de Zoilamérica, ceux qui faisaient figure d'alliés à la cause des femmes, et celles même qui la représentaient officiellement, comme l'association Luisa Amanda Espinoza (AMNLAE), tentent de minimiser le scandale en fustigeant une sorte de machisme culturel difficilement détrônable. Ses représentantes évitent de soutenir la cause de la jeune femme, tout en affirmant leur lutte contre les violences masculines, dans une réunion de l'association où règne « un silence de plomb [28] ». « Daniel Ortega ne sera pas le rédempteur [des hommes machistes] [29] » affirme quant à lui Orlando Nuñez. Il ne nie pas les faits, mais à ses yeux le *comandante* est un macho nicaraguayen parmi d'autres. Tomás Borge, connu lui pour ses discours sur la participation des femmes à la révolution, s'étonne de ces attaques visant Ortega et range les violences aux faits de simple « séduction » mal interprétée : « à mon égard je comprendrais fort bien, moi qui ai été considéré comme séducteur et coureur de jupons, mais s'agissant de Daniel... »

La décision des dirigeantes d'AMNLAE est symptomatique du dilemme en cours en 1998, et ce pour bon nombre de sandinistes, qui percevaient le contexte politique d'alors comme la réactualisation du somozisme sous les traits du président de la République Arnoldo Alemán, arrivé au pouvoir en 1997. Après deux défaites électorales du FSLN aux élections présidentielles, l'affaire Zoilamérica advenait comme un nouveau coup dur pour la gauche historique. Il apparaissait cette fois comme rédhibitoire. Et c'est en fonction de ce contexte qu'il faut a posteriori souligner la rupture qu'impliquait toute manifestation de solidarité avec Zoilamérica.

Oscillant entre deux registres, argumentatif et émotionnel, les quelques voix qui manifestent leur soutien à plusieurs reprises le font aussi en exprimant une

---

26. Sergio Ramirez, vice-président de 1984 à 1990, choisit de ne pas commenter la dénonciation. Dora María Téllez, ministre de la Santé pendant le régime sandiniste, plus attachée à l'exercice du droit qu'à l'analyse même du scandale, enjoint l'accusatrice et son père adoptif de régler l'affaire par voix judiciaire, c'est-à-dire pour la première de déposer plainte, et pour le second de renoncer à son immunité parlementaire.
27. Quatre jours plus tard, les membres du FSLN se mobilisent pour proposer la réélection d'Ortega à la tête du parti, *El Nuevo Diario*, 10 mars 1998.
28. Sergio Cruz, « Silencio de Plomo en acto a la mujer, Amnlae evade caso Zoilamérica », 9 mars 1998, *El Nuevo Diario*.
29. Oksana Estrada, Orlando Nuñez, sociólogo « Daniel no será el próximo redentor », *7 días*, 27 mai-3 juin 1998.

mémoire embarrassante de la période révolutionnaire. La lettre publique de Margaret Randall est à ce titre exemplaire. Elle est la seule à faire (publiquement) allusion à un secret d'État protégé par ceux et celles qui étaient partisans du régime, et déclare : « Nous le savions, nous avons gardé le silence par crainte, et parce que nous soutenions la révolution sandiniste. Nous pensions aussi que cette histoire était celle de Zoilamérica qui devait être – ou ne pas être – racontée par elle ; j'ai honte de notre silence, mais peut-être que le temps et le lieu ne permirent aucune autre alternative [30]. »

Ce sont aussi les lettres publiques de Michele Najlis à Daniel Ortega, qui, tout en lui témoignant sa « vieille affection » lui demande de faire face aux graves accusations, c'est-à-dire de « ne pas mépriser les accusations des plus faibles, des femmes » en prétendant apporter une solution interne (à la famille, au FSLN) à la dénonciation. « Combien de fois [au cours de la révolution] n'avons-nous pas alerté les dirigeants (...) au sujet des graves anomalies et des faits de corruption que nous constatons au sein du FSLN ? Et pour quels résultats ? Les accusés étaient protégés, tandis que l'on faisait taire ceux qui dénonçaient ». Elle ajoute : « Ne te rends-tu pas compte que le manque de transparence éthique fut l'une des raisons fondamentales pour laquelle le FSLN a perdu de sa crédibilité [31] ? »

L'exclamation de Vilma Nuñez de Escorcia « C'est pire que lorsque le Front a perdu [32] ! », les articles (entre autres) de Sofía Montenegro [33], Mónica Zalaquett [34], Gioconda Belli [35], Sylvia Torres [36], convergent aussi vers le constat d'une déroute morale douloureuse, et la trahison des idéaux révolutionnaires, tout en insistant sur l'urgence d'une prise de conscience publique sur la réalité massive de l'inceste au Nicaragua, présentée comme une véritable « épidémie [37] ».

---

30. La lettre publique à l'attention « du FSLN, du peuple nicaraguayen et des personnes préoccupées par l'affaire » est datée du 11 avril 1998. On la trouve sur le site : http://www.sandino.org/randal.htm

31. « Carta a Daniel Ortega de Michele Najlis », *El Nuevo Diario*, 9 mars 1998. Michele Najlis débute ce texte en précisant que bien que ne militant plus au sein du FSLN, elle partage la douleur de ceux et celles qui se sentent encore sandinistes.

32. *La Tribuna*, 5 mars 1998.

33. Sofía Montenegro, « Zoilamérica : ¿ un asunto de familia ? », *El Nuevo Diario*, 11 mars 1998. Montenegro a de plus remis en question le caractère révolutionnaire de l'organisation politique FSLN, non seulement au regard de la période post-sandiniste, mais aussi du moment post-insurrectionnel, c'est-à-dire dès 1979 : « ¿ Es revolucionario el FSLN ? El Nuevo Amanecer Cultural », *El Nuevo Diario*, Managua, 14 mai 1994.

34. Mónica Zalaquett, « De vergüenza personal a vergüenza nacional », *El Nuevo Diario*, 25 mars 1998.

35. Gioconda Belli, « El dolor por el hombre símbolo », *El Nuevo Diario*, 11 mars 1998.

36. Sylvia Torres, « Todas las víctimas de abuso están en juego », *El Nuevo Diario*, 10 mars 1998.

37. María López Vigil, *Romper el silencio, Abuso Sexual, Incesto : pistas para pensar, hablar y actuar*, Recueil d'articles publiés dans la revue *Envío*, UCA 2000.

Déjà actrices ou alliées d'une expression féministe autonome du FSLN, beaucoup de ces intellectuelles au rôle politique non-négligeable dans les années 1980 font alors de l'engagement en faveur de Zoilamérica le point de départ de toute une réflexion critique, souvent au nom du sandinisme, mais contre le « daniélisme » comme monopole de l'expression révolutionnaire. Bien que l'on explique l'agression du fait de la persistance d'un patriarcat peu entamé par la légalité sandiniste, on la rapporte aussi à l'impossibilité de formuler un quelconque discours critique au sein du FSLN pendant la décennie révolutionnaire. On commence aussi à dénoncer et à interpréter certains abus de pouvoir, y compris le harcèlement ou le viol de la part de militants ou de dignitaires sandinistes, en les mettant en rapport avec les formes politiques en vigueur tout au long des années 1980.

Le moment le plus révélateur de ce nouvel air du temps est celui d'une seconde dénonciation, quelque peu noyée dans l'écho plus sonore du premier scandale. Une femme de nationalité allemande accuse Tomás Borge de harcèlement sexuel, tout en rappelant qu'elle a survécu à un viol de la part d'un militaire sandiniste au début des années 1980. La quasi-impossibilité de faire reconnaître ses droits par deux fois, et sa condamnation au silence, viennent alors étayer la thèse d'une révolution pour le moins limitée par la reconduite de l'exercice autoritaire et machiste du pouvoir. Sous le coup de menaces, Cornelia Marshall doit quitter le Nicaragua peu de temps après ses déclarations [38].

À l'exception de Cornelia Marshall, aucune autre femme ne témoignera publiquement d'actes similaires au sein du FSLN alors que Zoilamérica atteste pourtant « ne pas être la seule ». En privé, de nombreuses femmes confirment que de telles pratiques furent répandues, et impossibles à dénoncer dans les rangs de l'organisation sandiniste. C'est dire le déphasage total entre la prise de parole publique et le discours privé [39].

---

38. « Carta pública a Tomás Borge sobre asunto de Zoilamérica », *El Nuevo Diario*, 13 mars 1998 ; « Cornelia confirma denuncia pública », *El Nuevo Diario*, 17 mars 1998 ; « Tomás Borge guarda silencio sobre acusación de acoso sexual », *La Tribuna*, 16 mars 1998.

39. Notons que contrairement au Nicaragua, où à notre connaissance aucune enquête exhaustive n'a été menée sur les violences de genre au sein des organisations politico-militaires (tant de la Contra comme du FSLN), une réflexion a été rendue publique sur ce thème au Salvador, cf. Norma Vásquez, Cristina Ibáñez, Clara Murguialday, *Mujeres-Montaña, Vivencias de guerrilleras y colaboradoras del FMLN*, horas y HORAS, 1996. Voir aussi les travaux de Jules Falquet : « Femmes, projet révolutionnaire, guerre et démocratisation : l'apparition du mouvement de femmes et du féminisme au Salvador », thèse de doctorat, ANRT, Lille, 1998. Ou encore : « Division sexuelle du travail révolutionnaire : réflexions à partir de la participation des femmes salvadoriennes à la lutte armée (1981-1992) », *Cahiers des Amériques latines*, n° 40, pp. 109-128.

LANGAGE DU DROIT ET CAUSE UNIVERSELLE

La désingularisation [40] de Zoilamérica par un travail de sensibilité sur le viol et l'inceste

La controverse Zoilamérica Narváez contre Daniel Ortega est assurément une rupture dans la légitimation par et dans le domaine public de la dénonciation des agressions sexuelles faites aux femmes. Loin d'inaugurer un véritable accès à la justice des victimes, elle constitue néanmoins un précédent en termes de prise de parole publique.

Les registres d'accusation/contre-accusation allèrent de pair avec une certaine reconnaissance de la réalité massive des viols et de l'exercice des violences machistes en particulier dans les familles.

Ce processus fut entamé par quelques groupes de femmes, dont la militance se caractérisait déjà par deux aspects depuis la fin de la révolution sandiniste : l'autonomie organisationnelle, mais non nécessairement idéologique et politique, à l'égard du FSLN, ainsi que le *leitmotiv* de la lutte contre les violences masculines faites aux femmes, en particulier les violences conjugales, comme axe de recomposition des discours et des pratiques militantes.

L'un de ces groupes, le Réseau des femmes contre la violence (RFCV), était alors le mouvement féminin le mieux implanté sur l'ensemble du territoire [41]. Ses participantes avaient promu la réforme du code pénal qualifiant les violences intrafamiliales (loi 230 – 1996), et beaucoup d'elles s'étaient auparavant engagées en appelant à une plus grande sévérité dans la répression des viols (loi 150 – 1992). Elles avaient contribué à la ratification par l'État nicaraguayen de la convention

---

40. Luc Bolstanski, Elisabeth Claverie, *op. cit.* Les auteurs présentent le travail de désingularisation comme celui d'une « [transformation] des affaires ou des disputes engagées (…) au sein desquelles les acteurs avaient noué des relations personnelles, en des protestations impersonnelles, collectives, engageant la référence au bien commun et susceptible d'entraîner un effet en chaîne », p. 435. Le travail de désingularisation s'inscrit dans celui de « montée en généralité (cette affaire en apparence locale, voire singulière, concerne, en fait, tout le monde) », p. 404.

41. Le RFCV a été fondé en 1992 lors de la rencontre « Unité dans la diversité ». L'objectif de cette rencontre était de refonder, aux lendemains de la défaite électorale des sandinistes, l'action collective des femmes, qui avait été jusque-là majoritairement subordonnée au FSLN. À l'issue de ce rassemblement, on pouvait distinguer les femmes restées dans la ligne plus orthodoxe du parti politique (AMNLAE, Association Luisa Amanda Espinoza) de celles qui avaient choisi l'autonomie organisationnelle. Parmi les militantes revendiquant leur autonomie du parti, deux stratégies s'étaient dessinées : la première visait à rassembler les militantes autour de réseaux thématiques (Réseau des femmes pour la santé ; Réseau des femmes contre la violence ; Réseau sexualités ; Réseau alphabétisation, etc.), la seconde privilégiait la concentration des revendications dans un seul et même mouvement résolument féministe (Comité national féministe). À l'heure actuelle, le RFCV est le seul des réseaux thématiques initiaux qui subsiste et dont le nombre de participantes s'est considérablement accru (150 groupes/ONG/collectifs et plusieurs dizaines de militantes à titre individuel).

Belem Do Para [42], et elles étaient parties prenantes de l'institutionnalisation des commissariats de police pour femmes et enfants victimes de violences intrafamiliales et sexuelles. Il est indéniable que la controverse refléta aussi ce contexte de légitimation progressive de la lutte contre les violences.

Néanmoins, c'est aussi par le scandale que les membres du RFCV ont discuté pour la première fois de la question des violences sexuelles et incestueuses. Jamais avant Zoilamérica un tel débat n'avait été organisé au sein de ce mouvement. C'est principalement par la réfutation des contre-accusations prononcées par les tenants du FSLN que les militantes du RFCV ont fait prendre conscience des mécanismes de censure de la parole des victimes et de déni de leurs souffrances par leurs agresseurs, mais aussi de ce redoublement de la violence consistant à transformer les victimes en coupables, et à les rendre responsables de l'indignité qu'elles dénoncent.

Le choix des membres du Réseau des femmes contre la violence de prendre la défense de Zoilamérica est rendu public dès le 4 mars 1998, non sans tension au plan interne, étant donnée la sympathie de quelques militantes à l'égard du FSLN et de son chef. « Nous avions son portrait à la maison », confie quelques années après l'une des coordinatrices du RFCV. Certaines militantes ne croyaient pas forcément à la véracité des propos de Zoilamérica. Alors que les sympathies politiques avaient été jusque-là déconnectées de la militance féministe, et plus ou moins renvoyées à l'espace privé, ou considérées comme relevant de la « double militance », les activistes du réseau se voyaient soudainement dans la nécessité de se prononcer publiquement et de résoudre le dilemme de ces allégeances conjointes. Elles devaient soit refuser de soutenir Zoilamérica et faire indirectement le jeu de Daniel Ortega en reniant l'*ethos* du mouvement, ou alors croire la jeune femme et l'accompagner dans sa quête de justice et de réparation. Cette deuxième position impliquait de rompre publiquement non seulement avec le leader sandiniste et le FSLN, mais aussi de reconnaître plus avant les atteintes aux droits des femmes pendant une révolution à laquelle elles avaient participé. Face à ces enjeux, c'est finalement le choix d'accorder son crédit à la jeune femme qui l'emporte. Une commission permanente de soutien à Zoilamérica est constituée.

La première des manifestations de soutien de la part du RFCV a consisté à tenir pour vrai les propos de Zoilamérica, et à reprendre sa mise en équivalence de son cas avec celui de l'ensemble des nicaraguayennes : « Nous

---

42. La convention interaméricaine pour « prévenir, sanctionner et éradiquer la violence contre la femme » a été adoptée le 9 juin 1994 par l'Assemblée générale de l'Organisation des États américains. Elle est entrée en vigueur le 5 mars 1995. Elle comprend tant la définition des violences et de la protection des droits des femmes (Chapitre II) que les devoirs des États signataires (Chapitre III) qui s'engagent à « [condamner] toutes les formes de violence contre la femme et conviennent d'adopter par tous les moyens appropriés et sans délais injustifiés, une politique visant à prévenir, à sanctionner et à éliminer la violence. » Y figurent également les mécanismes interaméricains de protection (chapitre IV) et les dispositions générales de la convention (chapitre V) précisant qu'« aucune disposition de la présente convention ne sera interprétée comme étant une restriction ou une limitation du droit interne des États parties (...) » (art. 13).

Une d'*El Azote Semanal*. Semana del 31 de mayo al 6 de junio de 1998, Año 2, n°90, Zoilamérica « Je suis l'Amérique » (l'homophonie avec son prénom)/Daniel Ortega en Conquistador « Viens alors, je te découvre petite ! » Cf. La lecture de Sofía Montenegro s'inspirant d'Octavio Paz et rabattant les traits du « père infâme conquérant violeur » sur ceux du commandant révolutionnaire.

soutenons toutes les femmes qui dénoncent des faits de cette nature ; c'est une situation que beaucoup de femmes de ce pays vivent (…) le machisme est présent dans toutes les classes politiques et sociales, par tant, le viol n'est pas un problème des pauvres, comme on peut le croire [43] ». Des chiffres attestant du très grand nombre de ces violences sont rendus publics et sont diffusés au-delà des réseaux militants et des ONG internationales : une femme nicaraguayenne sur deux a été victime dans sa vie de violences conjugales, une sur quatre a été abusée sexuellement avant l'âge de dix-huit ans [44].

---

43. Déclarations de Violeta Delgado et Patricia Orozco, « Mujeres Organizadas Respaldan denuncia », *La Tribuna*, 4 mars 1998.

44. Ellsberg Mary et al. *Confites en el Infierno. Prevalencia y Características de la violencia conyugal hacia las mujeres en Nicaragua*, (3e édition), Managua : Red de la Mujeres contra la violencia ; Departamento de Medicina Preventiva y Salud Pública, UNAN-Léeón ; Departamento de Epidemiología y Salud Pública, Umeå University, Suecia, 2000. Voir également, *La Tribuna*, 5 mars 1998 « mujeres presentan cifras sobre delitos sexuales » (on y lit aussi qu'un homme sur cinq a été abusé sexuellement avant l'âge de 18 ans).

Les militantes du Réseau et celles du « Mouvement autonome des femmes » avaient certes fait l'expérience des difficultés des dénonciations et de celles à affronter le discrédit, mais beaucoup découvrent après la prise de parole de Zoilamérica le processus même de la résistance personnelle aux agressions continues dans le cadre de la vie domestique. Exprimer sa solidarité avec Zoilamérica, croire en la véracité de ses récits, supposait non seulement de se démarquer du personnage d'Ortega, mais également de pouvoir justifier publiquement l'illégitimité de la réversibilité de l'accusation par le leader politique et sa famille. De nombreuses participantes à cette campagne en faveur de Zoilamérica racontent aujourd'hui combien cette expérience a été le moyen pour elles de comprendre, d'apprendre, les dynamiques complexes de manipulation-culpabilisaton/résignation-résistance, en cours en particulier dans le délit prolongé et en huis clos de l'inceste.

Qu'il s'exprime par la voix de Rosario Murillo [45], par celle des hiérarques du FSLN, ou qu'il soit le fait de la *vox populi*, le déni des accusations de Zoilamérica a utilisé trois formes de discrédit : on affirma qu'elle était indigne ou qu'elle était folle, qu'il y avait là une attaque politique, et enfin que de telles accusations étaient dangereuses pour la collectivité.

Les accusations d'indignité et de folie étaient autant de manières de reprocher à la jeune femme son écart à l'encontre des normes sociales de la féminité (la déraison par irrespect des lois « naturelles » de l'organisation sexuée) par une prise de parole publique amplement relayée par les médias. Son récit est jugé pornographique et exagéré, et on parle de luxure, en disqualifiant les violences. On estime qu'en mauvaise gardienne des bonnes mœurs, elle vient alimenter le sensationnalisme de la presse. On estime que son visage serein, et ses qualités d'oratrice ne peuvent que démentir les violences qu'elle dit avoir subies. On confond soutien public et complicité en fustigeant le peu de moralité des lesbiennes/féministes qui ne l'entourent que pour servir leur but : détruire la virilité masculine. On considère que cela était chose connue depuis fort longtemps en affirmant que les mœurs sexuelles des militants du FSLN ont toujours été dissolues. On suppose aussi que s'humilier à ce point devant tous n'est justifiable que par la mobilisation d'intérêts plus grands. On suggère enfin que la vérité de la jeune femme n'est guère cernable, tant le trauma du viol altère au plus haut point et ce définitivement la santé mentale des victimes.

L'autre type de grief, la conspiration politique, insiste sur le moment de la dénonciation, à deux mois de l'éventuelle réélection de Daniel Ortega à la tête du parti d'opposition. La dernière forme de discrédit, visant à souligner l'énorme coût pour la collectivité et l'« irresponsabilité » de Zoilamérica prend

---

45. Cette dernière ira jusqu'à « demander pardon au peuple et en particulier aux sandinistes d'avoir une fille ayant trahi les principes du Front sandiniste et qui apparaît maintenant à l'Assemblée nationale aux côtés des somozistes pour leur demander la tête de Daniel Ortega » devant un parterre de partisans du FSLN, lors de la commémoration du repli stratégique des troupes révolutionnaires et des civils à Masaya. *La Prensa* et *El Nuevo Diario*, 28 juin 1998.

différentes formes : les sandinistes « frentistes » et « daniélistes » lui reprochent de venir souiller la mémoire révolutionnaire, ou de donner un argument antisandiniste supplémentaire aux rangs de la droite. D'autres estiment que sa quête de réparation est nombriliste et égoïste devant d'autres urgences sociales nationales ; qu'elle ne peut que démoraliser les Nicaraguayens, en particulier les Nicaraguayennes violentées, peu à même de s'identifier à une jeune femme d'une autre classe sociale, et dont la cause, de surcroît, paraît perdue d'avance. On considère enfin que le « tapage pornographique » dont elle est la source ne vient qu'alimenter une immoralité sexuelle déjà bien ancrée dans la jeune société nicaraguayenne.

Face à cela, les soutiens de la jeune femme, et particulièrement quelques psychologues interrogées par la presse en qualité d'expertes, présentent un discours élaboré et pour la première fois rendu massivement public pour réfuter ces préjugés. Les propos visent en premier lieu à expliciter le silence. Sans doute le point majeur d'incompréhension était jusque-là le moment de la dénonciation, jugé trop tardif, comme si « tout silence compromettait la preuve jusqu'à exclure l'idée même de viol [46] ». Des psychologues telles que Gioconda Batres ou Martha Cabrera expliquent pourquoi les crimes sexuels exercés contre les filles et les garçons les conduisent au silence forcé et prolongé, tant à cause des menaces directes de l'agresseur, qu'à cause de l'incrédulité pressentie de la part d'éventuels interlocuteurs, surtout au sein des familles. Elles démontrent que « l'indignité [traverse] souvent la personne atteinte pour la transformer aux yeux des autres [47] » d'où un sentiment de culpabilité, d'avilissement et de honte faisant obstacle à la plainte. Pour réfuter l'idée d'un amour naissant au fil ou en dépit de la sexualisation dès le plus jeune âge par l'agresseur, elles expliquent que ce dernier joue sur la dépendance, sur la dualité protection exclusive/agression pour parvenir à ses fins.

Telles sont les dynamiques complexes qui commencent à être explicitées dans les médias, puis énoncées à nouveau par Zoilamérica à de nombreuses reprises au nom de l'exemplarité et de la communauté de sort avec les autres petites filles nicaraguayennes : « ce qui m'est arrivé à moi, c'est la même chose que ce qu'il arrive à une petite fille dans un quartier, ou dans le monde rural ; cette petite fille aura des crises de larmes, (...) des cauchemars, elle se souviendra tout à coup de moments qu'elle avait oubliés... C'est la vie quotidienne de milliers de femmes et petites filles [48] ». Dans cette même interview à la *Boletina*, Zoilamérica exprime qu'après avoir été réduite au silence, sa survie dépend désormais de sa prise de parole : rendre les actes publics pour stopper l'agresseur. Elle justifie le choix du témoignage détaillé comme gage de crédibilité. Elle contredit l'accusation d'égocentrisme par la revendication d'une prise en main de sa propre parole publique, déplorant qu'habituellement les victimes se retrouvent soit réduites au silence, soit exposées au sensationnalisme de la presse. Face au grief de l'irresponsabilité

---

46. Georges Vigarello, *Histoire du viol, XVIe-XXe siècles*, Paris, Seuil, 1998, p. 51.
47. Georges Vigarello, *op. cit.*, p. 34.
48. Interview *La Boletina*, numéro spécial, 1999.

et du coût collectif, ainsi que du calcul, elle répète que les droits individuels doivent l'emporter sur toute contingence ou prénotion collective, qu'elles soient celle d'une famille, d'un parti, d'une mémoire, d'une idée nationale, d'autant que précisément, la qualification des violences sexuelles par le code pénal en fait autant d'atteintes à l'ordre public.

Le déploiement pratique du langage des droits individuels

L'autre manière de désingularisation a reposé en effet sur le langage et l'exercice des droits individuels dont la diffusion avait débuté lors de l'adoption de la Constitution de 1987. Peu analysé et peu souligné, le rôle des femmes pour la défense d'une lecture horizontale des droits individuels et citoyens y fut majeur. L'argument alors mobilisé avait été celui de la protection et la garantie de l'intégrité physique et morale des citoyens non pas seulement depuis l'État – ce qui entrait en rupture avec la répression de la dictature somoziste par les exécutions et la torture – mais aussi entre les citoyens eux-mêmes, y compris dans l'espace privé, ce qui constituait un langage neuf. Les exemples avaient été en particulier ceux de la violence conjugale, et les *cabildos* avaient été le moyen pour les militantes d'AMNLAE de débuter une campagne – vaine du point de vue des modifications juridiques escomptées – en faveur de la pénalisation des agressions machistes dans le couple [49]. Implicitement l'argumentaire présentait les violences masculines de l'espace domestique comme relevant de la torture [50] et condamnables comme telle, analogie qui serait tragiquement illustrée dix ans après par le témoignage de la fille du président.

Quelques années après, à la faveur de l'inauguration du pluralisme consacré par l'élection de Violeta Chamorro, ces revendications avaient alors débouché sur le vote des deux lois pénalisant le viol et les violences domestiques. Les groupes de femmes qui les avaient portées, séparées du FSLN, avaient essentiellement fondé leurs arguments sur l'urgence d'une prise de conscience nationale des violences infligées aux femmes par les hommes, et sur l'importance centrale des droits humains indépendamment de toute autre contingence. Bien que reproduisant pour une grande part la domination masculine, ces lois avaient été considérées comme un pas vers la reconnaissance de ces délits et vers la traduction juridique de la cause des femmes. La désintrication de l'État et du FSLN après les élections de 1990 s'inscrivait dans la même logique que celle qui mettait en valeur le droit aux dépens des « priorités révolutionnaires ». Cette autonomisation du champ des mobilisations et des revendications vis-à-vis du FSLN était d'autant plus manifeste que l'acheminement vers la paix avait sonné le glas d'une structuration du jeu politique par le conflit guerrier. Avec l'épuisement

---

49. Morgan Martha I., "Founding Mothers: Women's Voices ans Stories in the 1987 Nicaraguan Constitution", *Boston University Law Review*, vol. 70(1), 1990, pp. 1-110.

50. Voir pour une analogie entre violence de genre (en particulier domestique) et torture : Jules Falquet, « Guerre de basse intensité contre les femmes ? : la violence domestique comme torture, réflexions à partir du cas salvadorien » dans *Nouvelles questions féministes*, vol. 18, n° 3-4, novembre 1997.

de l'affrontement révolutionnaires/contras, il devenait possible d'inscrire le projet d'émancipation des femmes dans le langage du droit, et de rendre visible l'ordre social sur lequel s'adossait le recours à la violence masculine sans que cela ne soit nécessairement considéré comme un facteur de division faisant le jeu de l'ennemi, ou un repli sur des réflexes petit-bourgeois. Dans une perspective féministe, on pouvait montrer ainsi combien cette violence à la fois invisible et stridente, n'était pas moins politique que la guerre entre ennemis idéologiques.

C'est dans cette perspective, huit ans après la défaite de Daniel Ortega aux élections présidentielles de 1990, qu'il faut aussi remettre en contexte la possibilité de désingulariser Zoilamérica Narváez : pacification, autonomisation des mouvements de femmes, choix de leur priorité de lutte contre les violences masculines, et défense de la jeune femme, participent d'une équation fort peu concevable au cours des années 1980. Le slogan du FSLN « l'émancipation des femmes par la révolution, la révolution par l'émancipation des femmes » est alors archivé au bénéfice d'un nouveau principe démocratico-libéral « le droit d'avoir des droits ». À charge du RFCV de le décliner dans une veine plus féministe « le droit des femmes à vivre sans violence, au lit, à la maison, dans la rue, dans le pays », selon un slogan fort connu de ses militantes et plus généralement des féminismes latino-américains.

L'EMPÊCHEMENT DE L'AFFAIRE JUDICIAIRE PAR UN PACTE ENTRE CAUDILLOS ET LE RECOURS AUX INSTANCES SUPRA-NATIONALES

Mais, si le terrain de la dénonciation et de l'indignation publiques relatif aux viols est défriché avec Zoilamérica, les institutions politiques et judiciaires se sont révélées particulièrement peu enclines à faire place à ces revendications.

Les obstacles apparaissent dès après que Zoilamérica Narváez dépose une plainte pour abus sexuels, viols, et harcèlement sexuel, le 27 mai 1998, devant la juge Martha Quezada [51].

Les avocats de Daniel Ortega indiquent qu'il y a selon eux prescription des délits, à l'exception du harcèlement sexuel. Le leader du FSLN se présente alors devant la juge pour mettre en avant son immunité parlementaire. Dans le respect de la procédure, Martha Quezada transmet le 22 juin 1998 l'affaire devant les instances de l'Assemblée nationale pour qu'une commission de députés puisse préparer la discussion et le vote, en séance plénière, de la levée de l'immunité d'Ortega. Le même jour, le libéral Noel Pereira Majano, premier secrétaire du Parlement, déclare qu'il recevra Zoilamérica Narváez au motif que « l'assemblée n'[est] ni une entremetteuse de délinquants, ni un nid de rats [52] ».

---

51. À la tête du tribunal pénal du district n° 1 de Managua.
52. *La Tribuna*, 29 mai 1998.

Mais malgré ces paroles véhémentes, et les déplacements réguliers de la plaignante à l'Assemblée nationale d'octobre 1998 à mai 1999, aucune démarche n'y est entamée pour examiner le cas du député mis en accusation.

En réalité, le Parlement comme la justice pénale se sont révélés être les meilleurs garants des intérêts de deux hommes : Daniel Ortega, et Arnoldo Alemán, (ce dernier chef de l'exécutif et leader direct du Parti libéral constitutionnaliste). Le premier négocie avec le président le maintien de son immunité parlementaire, le second obtient en échange la passivité de l'opposition sur des affaires de corruption le concernant.

En effet, au moment d'une possible réunion de la commission parlementaire sur la levée d'immunité d'Ortega, le président Alemán faisait lui l'objet d'une enquête menée par la Contraloría de la República, pour détournements de fonds publics. Le viol et le vol deviennent moyens de pression et monnaie d'échange d'une négociation entamée dès 1997 entre le chef de l'exécutif et le chef de l'opposition en vue d'inscrire progressivement leur partage du pouvoir au sein de la Constitution. Ce « pacte entre caballeros » visait quatre objectifs : continuer de se répartir des sphères d'influence économique, restreindre la compétition électorale aux partis rivaux PLC et FSLN par la modification progressive de la loi électorale, se répartir les sièges des principales institutions de contrôle du pays [53] (Cour suprême de justice, Conseil suprême électoral, Contraloría), et garantir l'impunité des caudillos en favorisant leur réélection comme députés, condition de leur immunité [54].

Devant cette impasse, Zoilamérica Narváez et Vilma Nuñez de Escorcia, présidente du Centre nicaraguayen des droits humains [55] (CENIDH), déposent une plainte contre l'État nicaraguayen [56] auprès des instances de la Commission interaméricaine des droits humains (CIDH). Le 8 novembre 1999, la CIDH entérine la plainte. À la demande de cette juridiction, le ministère des Affaires étrangères présente trois rapports en outrepassant les délais impartis et en faisant traîner l'affaire jusqu'au milieu de l'année 2001. Y figurent des arguments en contradiction avec les faits et avec le code pénal nicaraguayen : tantôt on affirme que les crimes invoqués sont d'ordre privé, tantôt que Narváez, ne se présentant plus régulièrement devant le premier secrétaire de l'Assemblée nationale – lequel a en réalité cessé de bien vouloir la recevoir – a abandonné les poursuites judiciaires.

---

53. Sur les rapports entre pacte et intérêts économiques voir *Envío*, « Pacto : frutos amargos y hondas raíces », n° 208, juillet 1999, http://www.envio.org.ni/articulo/948

54. La réforme n° 330 de l'article 133 de la Constitution permet ceci depuis le 19 janvier 2000 : les ex-présidents et vice-présidents obtiennent automatiquement un siège de député après leur mandat, ainsi que les candidats à la présidence et à la vice-présidence arrivés en deuxième position. *Constitución política de la República de Nicaragua*, Edición 2005, BITECSA.

55. Créé le 16 mai 1990.

56. Elles déposent une plainte pour négation de justice, en invoquant la convention américaine des droits humains ainsi que la convention Belem Do Para.

Le 17 octobre 2001, la CIDH déclare officiellement l'admissibilité du cas n° 12.330, près de quatre ans après la dénonciation de la jeune femme [57]. L'impossible procédure Narváez contre Ortega, devient l'affaire Narváez contre l'État nicaraguayen. Peu d'issues restent alors envisageables : soit Ortega est déchu de son immunité parlementaire et doit passer devant les tribunaux, chose assez peu probable au regard du pacte, soit l'État nicaraguayen accepte un « accord amical » avec Narváez, soit les institutions continuent sciemment de bloquer la situation et l'État doit être inculpé devant la Cour interaméricaine des droits humains [58].

Le 12 décembre 2001, quelques jours après les élections présidentielles et législatives, qui voient Enrique Bolaños l'emporter sur le candidat Ortega, ce dernier choisit de renoncer à son immunité et se présente devant la juge Juana Méndez [59], dont la loyauté à l'égard du FSLN est de notoriété publique. En un temps record, sans même convoquer les avocats de la partie adverse ou solliciter une nouvelle enquête, Méndez établit la prescription de tous les délits et déclare l'action pénale caduque, le 16 décembre.

Zoilamérica Narvéz décide de faire aussitôt appel, en vain, puis introduit un recours en cassation devant la Cour suprême de justice. Un an et quatre mois plus tard, le 25 avril 2003, cette juridiction de partage entre PLC et FSLN rejette le recours, et blanchit définitivement Daniel Ortega de toute allégation pénale.

Entre-temps, une audience à la CIDH a enjoint l'État nicaraguayen de réserver un « accord amical » à l'affaire (le 4 mars 2002). Le gouvernement Bolaños d'une part, et d'autre part Zoilamérica Narváez, Vilma Nuñez de Escorcia et le CENIDH, soutenus par les différents procureurs de la république, acceptent de négocier ensemble les termes de l'accord. La plaignante présente six requêtes : 1/ La promotion d'une procédure judiciaire transparente. 2/ La récupération du nom de famille de son père biologique par l'annulation de l'adoption d'Ortega. 3/ Une indemnisation de la part de l'État en réparation des dommages subis. 4/ Un soutien institutionnel et financier à la Fondation *Sobrevivientes* [60]. 5/ La promotion de réformes législatives (loi d'immunité, non-prescription des délits sexuels, meilleure application des lois existantes). 6/ Une déclaration publique du gouvernement reconnaissant la violation du droit d'accès à la justice pour Zoilamérica Narváez, priorisant la lutte contre les violences sexuelles, et s'engageant dans un combat contre l'impunité pour ces crimes.

---

57. Rapport de la CIDH N°. 118/ 01, cas 12 230 Zoilamérica Narváez Murillo.

58. On distingue la Commission interaméricaine des droits humains de la Cour interaméricaine des droits humains. La première organise l'enquête et les audiences et éventuellement l'accord amical entre l'État et le plaignant, la seconde rend son jugement.

59. Juge du tribunal pénal, premier district de Managua, Juana Méndez, est une ancienne guerrillera ayant collaboré au cours du régime sandiniste à la redoutée DGSE – Direction générale de la sécurité de l'État.

60. On trouve des informations sur la fondation créée par Zoilamérica Narváez sur le site internet : http://www.sobrevivientesnic.org/

Alors que le président Bolaños et les procureurs semblent prêts à signer une déclaration publique [61], engageant officiellement l'État nicaraguayen à satisfaire tous ces points, cette dernière ne voit jamais le jour. Zoilamérica Narváez l'a-t-elle déclinée, au cours d'une réunion de la fin du mois de février 2003 ? Aucune explication précise n'a été divulguée ni par la plaignante, ni par les personnes de son entourage, ni par le CENIDH. De fait, peu avant la signature potentielle, Narváez avait préféré prendre ses distances du CENIDH, et ainsi maîtriser seule cette étape. Enrique Bolaños, interrogé par la presse affirme : « on a dû lui proposer mieux ailleurs », les rumeurs évoquent les « deux millions de raisons » de Zoilamérica (deux millions de dollars), laissant entendre que cette dernière a préféré une indemnisation de Daniel Ortega à celle de l'État, comme solution extrajudiciaire. Pour sa part, la jeune femme a toujours démenti ces insinuations.

Indépendamment de cette résolution avortée et de ses causes, ce recours à la commission interaméricaine n'aurait pas été nécessaire si la justice nicaraguayenne avait rempli convenablement son rôle. Or la façon dont l'Assemblée nationale a traité cette affaire en dit long sur la facilité avec laquelle les caudillos ont ensemble préservé leur impunité. La décision de la juge Méndez est la preuve même de l'étendu des pouvoirs de Daniel Ortega sur la justice, de la primauté du clientélisme politique sur l'État de droit. Elle met aussi à nu, l'agencement androcentrique de ces procédés et relativise considérablement l'effet de légitimation de la lutte contre les violences faites aux femmes provoqué par le scandale Zoilamérica. Exemple emblématique de l'extension des « pactes sérialisés entre hommes [62] » dans la sphère politique, le pacte Alemán-Ortega incarne l'opposition la plus tangible au slogan féministe « le privé est politique », que l'on peut aisément résumer en inversant ses termes : le politique est privé. Et c'est aussi par cette inversion que la violence sexuelle s'inscrit dans la violence du politique.

RÉSONNANCES ACTUELLES

« C'est une inqualifiable gifle faites aux femmes et à l'action collective féministe [63] ». La réélection d'Ortega, le 6 novembre 2006, a beaucoup à voir avec l'affaire Zoilamérica de même qu'elle témoigne de la légitimation toute relative de la lutte contre les violences sexuelles.

Le retour au pouvoir d'Ortega est d'abord le fait de l'efficacité du pacte constitutionnel entre PLC et FSLN, au cours duquel le leader d'opposition a fait jouer progressivement les négociations en sa faveur. Comme la

---

61. Cette lettre devait être rendue publique le 8 mars 2003, journée internationale de la femme.
62. Cette réflexion est présentée dans : Amorós Celia, « Violencia contra las mujeres y pactos patriarcales », dans *Violencia y Sociedad patriarcal*. Maquieira, Virginia, comp. ; Sánchez, Cristina, comp. Madrid : Editorial Pablo Iglesias, 1990.
63. Entretien avec la féministe María Teresa Blandón le 18 novembre 2006.

condamnation d'Alemán pour corruption sous l'administration Bolaños (2001-2006) – par la juge Juana Méndez – avait provoqué la division de la droite, la voix était libre pour que le leader de l'opposition puisse l'emporter au premier tour des élections présidentielles sans obtenir la majorité absolue des voix. Au-delà des marchandages sur les types de scrutin, la ré-ascencion progressive d'Ortega s'est consolidée par l'appui de son épouse, Rosario Murillo. Cette dernière a fait le choix d'appuyer Ortega plutôt que sa fille, malgré la réconciliation des deux femmes en mars 2004. Cet accord conjugal est aux yeux de nombreux Nicaraguayens la raison pour laquelle Murillo occupe une place centrale aux côtés du président de la République [64].

L'alliance avec le cardinal Obando y Bravo, véritable révolution quand on pense aux affrontements entre celui-ci et Ortega pendant les années 1980, est elle aussi l'histoire d'un pacte de protections réciproques entre hommes mis en danger sur le terrain moral. Le président actuel du Conseil suprême électoral Roberto Rivas, jouit d'une protection personnelle de la part du cardinal. Rivas est le fils de Josefa Reyes, la secrétaire personnelle du cardinal depuis de très nombreuses années. Miguel Obando y Bravo est devenu l'allié de Daniel Ortega quelque temps après l'affaire Zoilamérica, et après que l'actuel président a fait montre d'une singulière clémence face à des malversations de fonds au sein d'un organisme lié à l'archevêché – Comisión de Promoción Social Arquidiocesana (Coprosa) – duquel Rivas était le président depuis 1981. Indulgences pour Rivas : sympathies en retour d'Obando y Bravo [65]. Depuis, Roberto Rivas est le président du Conseil suprême électoral, le cardinal a marié Murillo et Ortega, et il exerce des responsabilités ministérielles [66].

Dans un pays comme le Nicaragua où les institutions religieuses sont perçues comme des autorités morales, ce genre d'alliances fait office de preuve d'innocence ou d'absolution. Leurs implications ont pénétré le terrain du droit : la décision par le FSLN de la pénalisation de l'avortement thérapeutique deux semaines avant le scrutin présidentiel, au nom de la culture chrétienne, témoigne de la volonté de l'Église de préserver coûte que coûte son magistère et son poids moral comme sa capacité à peser sur le jeu électoral. Elle montre aussi que les dirigeants du FSLN, en accord avec leurs opposants de la droite, ont pu éliminer des dispositions juridiques

---

64. Elle préside le Conseil de communication et de citoyenneté, contrôle la communication du gouvernement et du FSLN, est la secrétaire privée du président, ainsi que sa chef de cabinet et sa chef de protocole. Elle est à la tête des Conseils du pouvoir citoyen, structure verticale de « participation directe » liée au FSLN.
65. Les allusions dans la presse ou par *vox populi* faites au lien de famille entre le cardinal et Rivas sont fréquentes. S'inscrivant en faux par rapport à l'alliance Ortega/Obando, le très catholique journal *La Prensa* en analysa l'histoire en décrivant avec précision la proximité entre le chef de l'Église et le chef du Conseil suprême électoral. Voir l'article de Lesly Medina Aguirre dans l'édition dominicale de *La Prensa* du 17 août 2008, intitulé « la conversión del Cardenal ».
66. Il dirige la Commission nationale de réconciliation paix et justice.

fort anciennes pour leur seule quête des suffrages [67]. Dans une logique équivalente à celle qui avait joué aux dépens de Zoilamérica, les femmes et leur droit à l'autonomie corporelle finissent par être des sortes de variables d'ajustement électoral ou des points de négociation entre les hiérarques des partis politiques et des églises, à la manière d'un « accord patriarcal [68] » entre prêtres et caudillos, écrasant sans nuance les revendications ayant trait à la liberté sexuelle ou à l'égalité femmes-hommes.

Enfin, les discours et l'apparence du chef du FSLN ont radicalement changé, mettant progressivement l'accent sur l'urgence d'une réconciliation de la nation et de la famille, sur « l'amour », et la culture chrétienne. Celui qui s'était présenté aux élections de 1990 comme un « Coq aux griffes d'acier » – image particulièrement critiquée pour son machisme par les féministes sandinistes du FSLN – promettait d'être le meilleur guide « vers la terre promise » lors de la campagne électorale de l'année 2001, pour devenir en 2006 un leader aux traits évangélistes promouvant « amour et réconciliation ». L'histoire, finalement, d'un « ex-guérillero qui troquait Marx contre Dieu [69] ».

Par ailleurs, Zoilamérica continue de mobiliser à l'échelle internationale de nombreux soutiens et d'être érigée en symbole des luttes contre les violences sexuelles. Les manifestations féministes, photos de Zoilamérica en mains, sur lesquelles sont inscrites « Ortega violeur » sont souvent l'accueil réservé au président Ortega à l'étranger. Ce dernier peut même se voir exclu de cérémonies officielles de premier plan, comme cela a été le cas lors de l'investiture du président Lugo.

Enfin, l'anti-féminisme réitéré du couple Ortega-Murillo est directement lié au soutien que les féministes ont accordé à Zoilamérica. Certaines

---

67. Le 26 octobre 2006, à deux semaines du scrutin électoral (présidentiel et législatif) les députés (28 du FSLN, 6 de la alianza liberal, 18 du partido liberal constitucionalista) ont voté la dérogation de l'article 165 du code pénal, en vigueur depuis 1974. La « loi 603 » de réformes au code pénal supprime ainsi les dispositions permettant de solliciter un avortement thérapeutique (dispositions datant de 1873) en cas de danger vital pour la femme enceinte, non-viabilité du fœtus, et grossesse faisant suite à un viol. Elle maintient les peines de prison pour les praticiens et les patientes, pouvant aller jusqu'à 10 ans d'incarcération. Le Nicaragua fait désormais partie du très petit nombre de pays interdisant l'avortement dans son intégralité (avec le Chili, le Salvador et Malte). Voir : http://www.radiolaprimerisima.com/noticias/5547 et http://www.radiolaprimerisima.com/noticias/5486. S'agissant de la position du FSLN sur l'avortement : voir directement le site de Rosario Murillo : http://www.conamornicaragua.org.ni/doc2004_2005.html et le document d'archive au format word intitulé « Peregrinando Nicaragua triunfa... ! Palabras de Rosario a través de la nueva Radio Ya » daté du 15 août 2006.
68. Selon la lecture que Sofía Montenegro fait de Guillermo Nugent, *El Orden Tutelar. Para entender el conflicto entre sexualidad y políticas públicas en América Latina*, Lima Comunicación, 2002. Sofía Montenegro, commentaire à l'ouvrage d'Andrés Pérez-Baltodano (2003) à l'IHCA-UCA, 14 avril 2004.
69. http://www.radiolaprimerisima.com/noticias/8298

d'entre elles, membres du Mouvement autonome des femmes (Movimiento Autónomo de Mujeres – MAM) ont fustigé les abus de pouvoir d'Ortega et du daniélisme, allant jusqu'à considérer que la victoire du FSLN aux élections présidentielles et législatives de 2006 représenterait pour elles le « pire des scénarios », raison de leur alliance avec le Mouvement de rénovation sandiniste [70]. Le MAM et d'autres organismes féministes ont été depuis la cible du gouvernement et l'objet de pratiques d'intimidation : les locaux du MAM ont été perquisitionnés au motif d'appuis illicites à des campagnes et des activités pro-avortement. Des membres des Conseils du pouvoir citoyens ont brandi des portraits de certaines leaders féministes lors de manifestations qui avaient tous les traits de l'appel au lynchage. Sofía Montenegro a été l'objet d'une campagne de discrédit, qui l'accusait en substance d'être une « oligarque et complice historique des gardes somozistes [71] ».

CONCLUSION

L'aboutissement de l'affaire, onze ans après son premier coup d'éclat, est pour le moins paradoxal. On présentait Ortega comme un homme politique en déroute, il est aujourd'hui président de la République. Dans ce contexte, Zoilamérica Narváez a abandonné les poursuites judiciaires [72] auprès de la CIDH au nom de « la réconciliation », et fort probablement sous l'effet de pressions de la part de sa famille [73]. La controverse continue ainsi de provoquer des manifestations féministes à l'encontre d'Ortega en Amérique Latine, même si, au Nicaragua, Zoilamérica n'est plus la figure de proue de la lutte contre les violences de genre et que l'affaire est bel et bien enterrée au plan judiciaire.

On percevait la dénonciation de Zoilamérica comme l'opportunité d'un *aggiornamiento* du FSLN ou comme l'inauguration d'une prise de conscience sur les abus sexuels dans la sphère privée et sur leurs conséquences dans la société nicaraguayenne. Le Parti sandiniste, bien qu'affaibli par la critique des rénovateurs, a pu malgré tout resserrer les rangs autour de son chef et

---

70. Ce fut le cas d'une partie des membres du RFCV et surtout du Mouvement autonome des femmes dans son ensemble.
71. Cette campagne mettait en scène le frère de Montenegro, Franklin Montenegro, garde somoziste connu pour avoir été d'une répression féroce pendant la dictature, tué après la chute de Somoza par les forces révolutionnaires.
72. Voir la Une de *El Nuevo Diario*, 26 septembre 2008, « Zoilamérica declina ».
73. La thèse selon laquelle la jeune femme fait à nouveau partie de la famille Ortega-Murillo, après une indemnisation de leur part, a été également divulguée dans la presse, et est considérée comme plausible, y compris par certaines féministes nicaraguayennes, ce que Zoilamérica Narváez dément formellement. Voir Juan Jesús Aznárez, *El País*, 29 juin 2008.

a continué de rassembler autour de lui bon nombre d'électeurs [74]. Tandis que ce dernier et son épouse font du discrédit à l'encontre du féminisme autonome – à nouveau considéré par eux comme bourgeois et facteur de divisions – la preuve d'une priorité accordée à la lutte contre la pauvreté et celle de la préservation des valeurs chrétiennes. La lutte contre les violences de genre, entendues comme l'exercice patent de la domination masculine, est laissée de côté, au profit de politiques publiques centrées sur la primauté de la famille. Néanmoins, l'action collective des femmes, et en particulier le RFCV et les ONG qui la composent, continuent de pallier les carences de l'État pour la prévention des violences en sensibilisant toujours la population. Ces associations continuent de travailler aussi à la garantie d'un meilleur accompagnement des garçons, des filles et des femmes victimes de violences intrafamiliales et sexuelles auprès des institutions de santé et de justice.

Bien loin d'avoir été le catalyseur d'une formulation nouvelle des rapports sociaux de sexe, l'affaire Narváez-Ortega et sa médiatisation ont été néanmoins le symptôme d'un changement plus général des modes de sociabilité au Nicaragua. Jamais auparavant un leader de la révolution, qui plus est ex-président de la république, et implicitement, la période révolutionnaire et ses participantes, n'avaient subi un pareil « procès », au sens d'une épreuve politique mobilisant à la fois les règles de droit et l'éthique, mais aussi une opinion publique plurielle et une mémoire collective. En ce sens, l'inauguration de la démocratie libérale sous la présidence de Violeta Chamorro (aujourd'hui considérée par beaucoup d'acteurs comme une parenthèse refermée par le pacte), et l'ouverture de l'espace public se conjuguant au nouveau référent international de la lutte pour les droits humains, ont été les composantes de ce basculement post-conflit et post-sandiniste. Dans ce contexte, les allégeances ont été ponctuellement reformulées, au profit d'une mise à l'honneur du droit. Il suffit de repenser à la rhétorique de Zoilamérica (« mes droits en tant que citoyenne », « militante », « individu », etc.) et celle de ses soutiens, pour entendre ce signal d'un nouvel air du temps.

Mais la controverse a été simultanément la manifestation d'une rupture avec cet essai d'instauration démocratique. Le pacte institutionnel et politique entre le FSLN et le PLC, au sein duquel l'affaire Narváez/Ortega a pesé, a réactualisé les pratiques clientélistes de l'exercice du pouvoir déjà en cours sous la dictature des Somoza. On découvrit comment les caudillos Ortega et Alemán – pourtant adversaires politiques – s'étaient portés garants de leur impunité mutuelle en délégitimant ensemble la dénonciation de Zoilamérica Narváez. On vit on ne peut plus clairement les allégeances

---

74. Je me réfère à l'élection présidentielle de 2006, où le FSLN a su également mobiliser un jeune électorat né après la révolution. L'organisation de la fraude électorale lors des élections municipales de novembre 2008 par le gouvernement nous amène néanmoins à nuancer fortement cette réelle capacité de mobilisation. Sur les derniers événements de la vie politique nicaraguayenne voir Gilles Bataillon, « Nicaragua, fraude électorale et coups de force », *Esprit*, juin 2009 et du même auteur « Chasse aux sorcières à Managua », *Esprit*, novembre 2008.

personnelles l'emporter sur l'État de droit, lorsque la juge Juana Méndez rendit caduques les allégations pénales de la plaignante. Cette résolution-là de l'affaire, d'abord au bénéfice d'Ortega, dénuda ainsi de façon plus générale l'étroite relation entre l'impunité des agresseurs, le discrédit contre les victimes, et la banalisation-normalisation du viol dans l'ordre sexué. La juge venait donner raison aux soutiens d'Ortega : à leurs yeux, plus que les viols, c'était la dénonciation qui venait subvertir l'ordre social.

Néanmoins, malgré tous ces constats qui amènent à relativiser la possibilité réelle de la dénonciation des violences sexuelles et de l'inceste, il y a pour beaucoup d'actrices du féminisme nicaraguayen un indéniable « avant et après » Zoilamérica, qui, selon elles, s'incarne encore aujourd'hui dans d'autres lieux que l'espace médiatique.

María López Vigil, par exemple, affirme : « je crois que le fruit réel et principal de cette prise de parole, a été la prise de parole d'autres femmes, qui confortées par la dénonciation de Zoilamérica, se sont souvenues de leurs histoires, ont pris leur courage à deux mains, et se sont confiées, dans l'intimité d'un cabinet médical ou d'un confessionnal, ou à une psychologue, à un médecin, à une amie… Cette rupture, que l'on n'évoque jamais dans les journaux, n'a pas de prix [75]. »

---

75. Entretien avec María López Vigil, 8 août 2008. Sur ce thème, on peut aussi se reporter à l'article de Brigitte Hauschild : « Crónica de una esperanza, seis meses rompiendo silencios », *Envío*, n° 312, mars 2008. http://www.envio.org.ni/articulo/3725

LE GOUVERNEMENT A POLARISÉ LE PAYS ET LA CRISE ÉCONOMIQUE REND UN DIALOGUE NATIONAL URGENT

Dora María TÉLLEZ *

La crise économique et les manières d'y faire face sont les préoccupations qui unissent aujourd'hui l'humanité entière. Désormais, la crise affecte tout et elle nous affecte tous. En 2008, des fonctionnaires du gouvernement soutenaient encore que, non, l'économie nicaraguayenne était saine, que notre système financier était résistant, et que la crise n'allait pas provoquer de gros dégâts. Mais le Nicaragua est inséré dans un monde globalisé économiquement et financièrement. Il ne s'agit pas seulement de la diminution des envois de devises des expatriés ou de la dépréciation de nos exportations, mais du fait que Banco Uno a été vendu à City Bank et que, chaque fois que cette banque américaine est secouée, le Nicaragua tremble aussi ; que General Electric (GE) a acheté des actions de Banco de América Central (BAC) et que la crise de nombreux projets de GE affecte le Nicaragua. Que le traité de libre-échange a attiré des *maquiladoras* américaines et asiatiques, et que ces zones franches sont en train de fermer, mettant des milliers de Nicaraguayens au chômage... Les gens partent en foule par la frontière entre le Nicaragua et le Costa Rica ; il y a maintenant une nouvelle vague migratoire, composée surtout de femmes. Et cela peut empirer. Le Nicaragua n'est pas une île, et aujourd'hui les fonctionnaires du gouvernement ne sont plus aussi optimistes. En 2009, nous devons faire face à la possibilité d'une croissance nulle de l'économie, voire d'une décroissance. Le gouvernement table maintenant sur une croissance zéro et certains économistes parlent d'une décroissance de 2 %. Le défi est énorme pour les deux prochaines années, date à laquelle finira le mandat du président Ortega.

* Dora María Téllez est dirigeante du Mouvement rénovateur sandiniste (Movimiento Renovador Sandinista). Cet article a déjà été publié dans la revue nicaraguayenne *Envio*, n° 325, avril 2009.

La chance offerte malgré tout par cette crise est que le cours des produits alimentaires ne s'est pas effondré, et que, même en période de crise économique, la demande alimentaire ne se réduit pas. Comme le Nicaragua est un pays producteur de produits alimentaires, ceci peut devenir un avantage, à condition que nous fassions quelque chose pour profiter de cette occasion. Et c'est au gouvernement qu'il revient d'être à la tête de cette réflexion.

Que fait le gouvernement face à la crise ? Nous observons un gouvernement complètement concentré sur l'analyse des problèmes de « son » budget. Il n'est pas concerné par l'organisation du soutien aux petits et moyens paysans pour qu'ils augmentent et améliorent leur production de fruits, légumes et céréales, grâce au financement et à l'assistance technique. Il ne s'intéresse qu'au budget, réduisant les dépenses de santé et d'éducation et cherchant à combler le déficit public qui a été alimenté par la diminution de l'aide internationale au développement suite à la fraude électorale aux élections municipales de novembre. La vraie question est de savoir pourquoi le gouvernement n'utilise pas l'argent en provenance du Venezuela – dont nous ne connaissons toujours pas la destination – pour financer le déficit.

Ce gouvernement n'agit pas. Il n'a pas estimé l'impact de la crise sur les pauvres du Nicaragua, sur les familles, sur les habitants des villes, sur les femmes. On serait en droit d'attendre du gouvernement qu'il nous dise, par exemple, quelles populations courent un risque important de connaître la dénutrition dans une situation aussi critique. Car nous savons que la crise va accroître la faim chez les adultes et la dénutrition chez les enfants ; et comme personne ne sait combien de temps la crise va durer, nous devrions déjà être en train d'organiser, en tant que société, les mécanismes pour réduire le plus possible son impact sur les plus pauvres et profiter au maximum des chances offertes par la crise.

Mais non, face à cette urgence, le gouvernement répond aux abonnés absents. Et, bien qu'il nous répète que les problèmes les plus importants sont économiques et non politiques – pour nous faire oublier la fraude électorale – nous ne voyons pas non plus le gouvernement répondant de façon adéquate aux problèmes économiques. Le gouvernement du président Ortega a pratiquement dépassé la première moitié de son mandat, et quelles ont été ses actions les plus importantes ? Peut-être l'alphabétisation, bien qu'il reste à voir si sa pénétration dans la société a été suffisante. Peut-être la gratuité de l'éducation, mais le nombre d'enfants inscrits à l'école primaire s'est réduit (même si le gouvernement ne le reconnaît pas). Peut-être la gratuité des services de santé, bien qu'il y ait une pénurie de médicaments. Et c'est une illusion de croire que l'achat des laboratoires Ramos par le gouvernement au mois de mars va faciliter l'accès aux médicaments, puisqu'entre la réorganisation des laboratoires et le moment ou l'on commencera à produire des médicaments, trois ans se seront écoulés. De plus, les laboratoires nicaraguayens ne produisent que des médicaments de base et n'ont pas la technologie pour en produire d'autres. J'ai vécu la même histoire quand j'étais ministre de la Santé, et c'est la raison pour laquelle je crois que le gouvernement aurait plutôt dû réformer la loi d'acquisitions publiques (*ley de contrataciones del Estado*) pour acheter directement les médicaments génériques aux usines qui les fabriquent.

Le gouvernement passe la moitié de son temps à dénigrer ceux qui le critiquent, à se venger et à faire des discours ; mais nous ne nous nourrissons pas de discours et nous ne voyons pas arriver les résultats économiques. Quel est le résultat en termes de justice sociale ? Plus que vers la justice sociale, le gouvernement s'achemine vers le clientélisme politique ; or, il s'agit de deux choses très différentes. La justice sociale signifie la création de mécanismes redistributifs dans une société avec tant d'inégalités sociales, de genre, entre les générations et les territoires. La côte Caraïbe vit dans une pauvreté terrible et l'investissement public ne s'y est pas amélioré. Le programme « Faim Zéro » lui-même, le principal programme social du gouvernement, survit dans un état de désorganisation terrible. A-t-il eu des effets en matière de lutte contre la faim ?

Non. Au Nicaragua, les zones d'extrême pauvreté et de sous-nutrition sont microlocalisées et identifiées – Chinandega norte, Madriz, León norte, secteurs de Matagalpa y Jinotega, zones du Caraïbe Nord et Sud, et aussi des zones urbaines, où les gens ont des difficultés pour produire et pour manger. Qu'est-ce que cela coûterait au gouvernement de convoquer toutes les ONG qui ont une expérience dans la lutte contre la faim au Nicaragua, que celles-ci, en concertation avec le gouvernement, mettent au point des mécanismes pour lutter efficacement contre la dénutrition ? Qu'est-ce que cela lui coûterait de réunir les ONG qui apportent au pays des dizaines de millions de dollars chaque année, pour étudier ensemble où placer cet argent pour défendre au mieux ceux qui ont le plus été affectés par la crise ? Dans la situation économique actuelle, j'attendrais du gouvernement qu'il convoque les meilleurs économistes du Nicaragua, toutes tendances confondues, pour qu'ils établissent ensemble les recommandations, non pour résoudre la crise, mais pour y faire face collectivement et de la meilleure façon possible. Je suis sûre que les économistes s'y efforceraient du mieux qu'ils peuvent, de façon volontaire. Mais, dans un moment comme celui que nous vivons, le gouvernement n'incite ni à l'effort maximal, ni au travail collectif pour mieux coordonner l'utilisation des faibles ressources que nous avons. Ceci n'a d'autre explication que la vocation autoritaire du gouvernement qui veut tout contrôler.

Ceci n'a d'autre explication que le manque de démocratie au sein de ce gouvernement. Car nos problèmes économiques ont été aggravés par la crise politique. Dans le budget de 2009, le gouvernement a un trou de 1 300 millions de Cordobas, montant équivalent à ce que la coopération a cessé de nous verser après la fraude électorale. Le gouvernement a amputé un peu plus d'un tiers de cette somme au budget de la santé et de l'éducation cette année. Il est évident que si le gouvernement n'avait pas truqué les élections la crise économique ne serait pas aussi aiguë.

Certains disent qu'à présent, il faudrait oublier la fraude. Mais ceux qui truquent les élections une fois agiront de la même façon la prochaine fois. Il vaut mieux éviter cette prochaine fois. Et pour cela, il ne faut pas laisser passer cette fraude. Si nous la laissons passer aujourd'hui, ce qui arrivera la prochaine fois sera beaucoup plus grave et ce que nous devrons faire sera beaucoup plus radical. Qu'allons nous faire si on nous confisque les présidentielles en 2011 ? À nouveau la lutte clandestine puis le soulèvement armé ?

La fraude électorale et la façon par laquelle le gouvernement a voulu l'imposer ont eu aussi d'autres conséquences. La délinquance croît. Il y a une épidémie de vols à main armée dans de nombreux quartiers de Managua qui sont pris en otage par le trafic de drogue et les bandes agressives. Celles-ci ont été renforcées par le pouvoir que leur a donné le gouvernement pour qu'elles agissent politiquement dans les jours qui ont suivi la fraude. Ces jeunes sont rentrés dans leur quartier pour faire des dégâts, confortés par le fait qu'ils détruisaient et attaquaient le centre de Managua avec la bénédiction officielle et les armes que le gouvernement leur donnait, ce devant une police qui les laissait faire.

On voit comment à l'intérieur même du Front sandiniste les inconditionnels du gouvernement attaquent et menacent l'arme au poing les gens de leur propre parti. On voit des leaders universitaires qui s'attaquent entre eux, se menacent de mort en public, sans que ni les autorités universitaires, ni la police n'interviennent... Et étant donné qu'il n'y a pas d'élections transparentes à l'université, les autorités étudiantes ne sont pas légitimes. Si des bandes armées sont alimentées à l'intérieur du Front sandiniste lui-même pour régler les rivalités, que pouvons-nous espérer ? De quelle éducation civique parlons-nous ? Le message que le gouvernement envoie à de nombreux jeunes, pauvres et sans futur, est que leur caractère marginal et leur agressivité sont une valeur positive. Comment pouvons-nous laisser notre société continuer sur ce chemin ?

Nous ne pouvons pas permettre que le Nicaragua se pervertisse de la sorte, que le pays demeure dans les mains d'une caste corrompue de fonctionnaires qui ne sont plus des « serviteurs publics ». Comment pouvons-nous permettre que le gouvernement ait dépensé des milliards de Cordobas dans des achats sans appels d'offres ni contrats, sans aucun contrôle de la Cour des comptes (*Contraloría*) ? Dans un pays avec un minimum de décence, les membres de cette cour seraient destitués et poursuivis pour complicité de corruption. Dans un pays décent, les magistrats électoraux devraient être destitués et poursuivis pour leur participation à la fraude électorale. Où sont les procureurs qui poursuivent ceux qui font du tort au Nicaragua ? Le ministère public ne poursuit que les ennemis politiques du gouvernement. Et la Cour suprême de justice ? Elle ne fait qu'accomplir les ordres du pouvoir politique. Le procureur pour les droits de l'homme ne nous fait-il pas honte chaque fois qu'il parle ? Et pour couronner le tout, nous avons aujourd'hui une police dont les mains sont liées, entre l'absence de moyens et le manque d'autorité pour agir. L'absence de scrupules d'un groupe d'importants fonctionnaires publics a atteint un tel niveau qu'elle n'attire plus beaucoup notre attention.

Certains se plaignent du fait que les médias critiquent autant ce gouvernement. Or ils ont aussi critiqué vigoureusement les gouvernements antérieurs et ce sont les médias qui ont dévoilé la corruption d'Alemán [1] et les magouilles de l'administration Bolaños [2]. Les médias doivent critiquer les gouvernements pour les faire travailler, et même les critiquer durement pour qu'ils travaillent encore mieux. Si même en les critiquant durement ils travaillent mal, comment cela se passerait si on ne les critiquait pas ou à mots couverts? L'intensité, la nature et l'ampleur des problèmes du Nicaragua n'autorisent pas la modération. Le travail d'un gouvernement est d'améliorer l'économie, de réduire la pauvreté et les inégalités, et de préserver la démocratie. Les gouvernements et les fonctionnaires doivent s'habituer à ce qu'on les critique. Tel est le rôle des médias. Celui du gouvernement n'est pas d'organiser une guerre contre les médias. C'est pourtant ce que ce gouvernement a fait: délégitimer les médias, menacer et soudoyer les journalistes, fermer les médias en s'appuyant sur la loi, interrompre les programmes d'opinion...

Comment un gouvernement qui nous a conduits à ces extrêmes peut-il se prétendre de gauche? Le gouvernement du président Ortega n'est pas de gauche. Comment identifier une idéologie de gauche au XXIe siècle? Le gouvernement Chávez est-il de gauche? Je ne le crois pas. Je crois que c'est un gouvernement populiste. Car répartir des biens ou de l'argent ne signifie pas être de gauche. Alemán le faisait aussi, avec ses programmes qui répartissaient des ressources aux pauvres. Par contre, je crois que le Frente Amplio en Uruguay et Lula au Brésil ont constitué des gouvernements de gauche.

Il faut reconnaître qu'au XXIe siècle, la gauche doit établir des paramètres différents de ceux de la gauche révolutionnaire des années 1970. Nous ne pensions alors pas aux problèmes de l'environnement, jamais cela ne nous serait passé par la tête! Nous pensions alors que les problèmes des femmes se résoudraient par la révolution. Nous avons appris par la suite que ce n'était pas le cas, qu'il peut y avoir des gouvernements révolutionnaires qui ne résolvent pas les problèmes des femmes. De même avec les ethnies: la gauche n'avait pas une réflexion complexe sur les problèmes des peuples indigènes. Au Nicaragua, pendant la révolution, on a fait une réforme agraire sur les terres des communautés indigènes, preuve que le sandinisme des années 1970 n'avait pas intégré la question ethnique.

La définition de la gauche latino-américaine au XXIe siècle est un processus en construction, qui doit intégrer des mécanismes et des perspectives pour

---

1. Arnoldo Alemán, président du Nicaragua de 1997 à 2001.
2. Enrique Bolaños, président du Nicaragua de 2002 à 2007.

obtenir un État fort, avec une société forte et un marché fort. La proposition du socialisme réel au XXe siècle s'est reposée sur un État fort, tout puissant, avec un marché faible et une société mise au pas, dont le caractère pluriel n'était pas reconnu. Cette position a été dépassée par la gauche mondiale et latino-américaine, même si certains ont gardé de mauvaises habitudes... Je crois que la vraie gauche pense aujourd'hui à un État fort, avec un marché fort et une société bien organisée.

Le XXIe siècle nous a démontré l'urgence de la transformation des forces de gauche latino-américaines en forces électorales majoritaires. Il s'agit d'un phénomène très important, sans précédents en Amérique latine, parce qu'au XIXe siècle la dispute politique a toujours eu lieu entre l'oligarchie et l'oligarchie, et au XXe siècle, toujours entre la droite et la droite. Ce début de XXIe siècle nous incite à penser que la dispute sera entre la droite et la gauche. Mais quelle gauche ? Une gauche qui recherche et entretient une majorité électorale, qui arrive au pouvoir par le vote, qui renforce les institutions et qui change dans les institutions. Le grand dilemme de cette gauche latino-américaine est de gouverner et de le faire bien pour être réélue. Au Brésil, Lula a démontré que c'était possible. Au Salvador, le FMLN a désormais une bonne occasion de démontrer que c'est également possible dans ce pays. Le premier défi de Mauricio Funes et du FMLN au Salvador est de montrer que la gauche peut gouverner et être réélue. Aujourd'hui, cette gauche latino-américaine a un défi encore plus grand : gouverner et surmonter la crise économique. C'est très difficile pour n'importe quel gouvernement : surmonter la crise, sans coût politique. Mauricio Funes commence à gouverner le Salvador dans un moment délicat, parce que les expectatives sur sa gestion de la crise sont très élevées, à la hauteur de l'ampleur de cette crise.

Funes doit agir avec intelligence dans un pays au potentiel énorme, à la population travailleuse, aux émigrants solidaires de leurs compatriotes restés au pays... Beaucoup croient que son gouvernement sera révolutionnaire. Non. Son gouvernement a simplement gagné les élections. Lui demander une révolution n'est pas seulement une attente exagérée, mais aussi une intention qui pourrait liquider le projet. Il faut demander au nouveau gouvernement du Salvador qu'il soit un bon gouvernement de gauche, pour qu'il puisse gagner les élections vingt ans d'affilée, comme l'ARENA en son temps.

Dans le cas du Nicaragua, nous avons un gouvernement qui se prétend de gauche, mais qui ne l'est pas. L'« orteguisme » (et tous les abus et excès qu'il implique) enlève à la gauche toute chance de succès au Nicaragua. La pire plaie que la gauche ait connue au Nicaragua est l'orteguisme : corruption, autoritarisme, messianisme, clientélisme, prébendes, opportunisme politique, alliances avec le grand capital... Nous sommes passés d'un gouvernement basé sur la corruption avec Alemán à un gouvernement pro-entreprises avec Bolaños, avant de finir avec le gouvernement d'une oligarchie familiale avec Ortega, qui ne représente aucunement le sandinisme et n'a pas d'idéologie. L'orteguisme n'a pas d'autre idéologie que le pouvoir, le pouvoir de Daniel

Ortega. L'orteguisme s'est éloigné du sandinisme ; il n'est plus sandiniste mais orteguiste ou danieliste, comme on préfère. Il s'est éloigné de ses principes. Il a lutté contre la dictature mais il a fini par gouverner le Nicaragua comme le faisait la dictature. Il a fini par faire pareil que Somoza. Certaines personnes disent « il fait la même chose que Somoza, et même pire ». Pourquoi pire ? Parce que le temps a passé et que le pays a besoin de nouvelles manières de gouverner.

Le Mouvement rénovateur sandiniste (MRS) a un grand problème, puisqu'il est une force de gauche sandiniste. Or ce gouvernement orteguiste est en train de consumer la gauche et le sandinisme. La corruption ne doit pas être identifiée au sandinisme. Il n'y a rien de plus contradictoire que d'être en même temps sandiniste et voleur. Dans tous les gouvernements, il y a des voleurs, ceci n'est pas le problème. Le problème, c'est l'impunité, le fait que la corruption ne soit pas punie. Dans tous les gouvernements, il y a des gens ineptes, ceci n'est pas le problème. Le problème est que l'on récompense l'ineptie en échange de la loyauté politique absolue. Dans tous les gouvernements, on tire à hue et à dia ; le problème est de ne pas y remédier. L'autoritarisme ne doit pas être identifié au sandinisme et à la gauche. Au Nicaragua il y a une droite autoritaire et un orteguisme autoritaire, qui se prétend de gauche, mais il y a aussi une droite démocratique et une gauche démocratique. Les libéraux ont pour défi de défaire la faction autocratique, autoritaire et corrompue du libéralisme (la faction d'Alemán), pour que le libéralisme survive. Même chose pour le sandinisme : nous devons défaire la faction corrompue, autocratique, profiteuse, clientéliste de l'orteguisme, pour pouvoir construire et développer une gauche démocratique pour le Nicaragua.

C'est un défi énorme, qui ne concerne pas seulement les élections de 2011 et les candidats, mais qui concerne la façon de construire les alternatives politiques dans le pays et d'aller au-delà des options que représentent Alemán et Ortega, avec l'union de toutes les forces politiques.

La confrontation entre une gauche démocratique et une droite démocratique est ce qui pourrait arriver de mieux au Nicaragua. Nous discuterions alors de questions programmatiques, de questions de fond, et verrions les différences qui existent entre la droite et la gauche. Mais à présent nous discutons encore de ce qu'il y a de plus élémentaire : comment faire pour que les élections de 2011 ne soient pas escamotées. Tant que nous aurons une droite autoritaire, autocratique et corrompue, alliée à un segment qui a été de gauche et qui est aujourd'hui autoritaire, autocratique et corrompu, et qu'à elles deux ces forces séquestrent les institutions de l'État et laissent les gens comme des idiots, nous ne pourrons toujours pas discuter sérieusement des problèmes de fond du pays.

La proposition du programme du MRS est celle d'un État qui joue un rôle central dans la redistribution des richesses, dans la régulation des services publics (transports, énergie, eau potable) pour que ces derniers retrouvent leur fonction sociale. Nous croyons en un État qui assume ses responsabilités en matière d'éducation et de santé. Le MRS fait aussi le pari d'un marché fort, car le marché est faible au Nicaragua, imparfait, peu compétitif et dominé par des oligopoles et des monopoles. Nous faisons également le pari d'une société bien organisée. Nos relations avec les organisations sociales sont marquées par le respect et la collaboration, pas par la subordination. Nous reconnaissons le caractère positif de la pluralité. Croire que la gauche doit être monothématique et unanime, soumise entièrement à une organisation unique, croire que quand les partis de gauche accèdent au gouvernement, ils représentent « Dieu tout puissant », tout cela appartient au passé, comme le confirme l'évolution de la société. Les paysans, les femmes, les syndicats, les jeunes veulent être de véritables acteurs et des contreparties de la puissance publique depuis leurs propres organisations.

Depuis le MRS, nous allons continuer à défendre la démocratie et continuerons à veiller sur l'économie populaire et la justice sociale. Le MRS sera d'accord avec tous ceux qui luttent pour la démocratie. C'est pourquoi nous n'allons pas cesser de remuer le couteau dans la plaie de la fraude. Ce n'est pas nous qui avons ouvert cette plaie. Et nous continuerons à dénoncer le projet dictatorial que ce gouvernement a construit et monté. Le MRS n'a pas de posture pro-Montealegre [3], ni même de posture « pro-quelqu'un ». Nous avons soutenu Montealegre dans les élections municipales à Managua parce que nous voulions mettre en évidence la fraude qui se profilait. S'il n'y avait pas eu une participation massive, s'il n'y avait pas eu un vote massif contre les candidats d'Ortega, la fraude aurait été plus simple à réaliser. Nous sommes prêts à travailler avec, et à soutenir les actions de quiconque défend la démocratie et la justice sociale. On nous verra aux côtés de Montealegre quand il s'agira de défendre la démocratie, et séparés de lui pour d'autres actions, parce que nous n'avons pas les mêmes intérêts. Montealegre s'emploie à présent à organiser son parti, le Parti libéral indépendant (PLI), pour prétendre au leadership du courant libéral, maintenant que celui d'Alemán s'est effondré (après qu'il est devenu évident qu'Alemán et Ortega ont agi de concert pour concevoir la fraude électorale, et qu'Ortega a livré à Alemán les mairies qui avaient été gagnées par les libéraux).

Le MRS est un parti de gauche et un parti sandiniste. Il n'est pas seulement de gauche. Il est sandiniste. Il a des racines, une orientation et une proposition. L'alliance MRS est quelque chose d'encore plus vaste : y participent Rescate del Sandinismo, le groupe CREA, le Parti socialiste, le Mouvement autonome des femmes, chaque groupe ayant sa propre identité. Mundo Jarquín n'appartient pas au parti MRS mais coordonne l'alliance MRS. Et il a parfois des positions différentes à celles du MRS, tout comme Rescate del Sandinismo peut en avoir ; ces différences sont apparues lors des élections municipales, lorsque Rescate a demandé à ses électeurs de voter

---

3. Eduardo Montealegre, candidat libéral à la mairie de Managua aux élections de novembre 2008.

blanc, alors que le MRS a demandé aux siens qu'ils votent pour d'autres candidats que ceux d'Ortega et du Front sandiniste.

La mission du MRS n'est pas de faire taire ses alliés. Les alliances ne sont pas idéologiques mais politiques, et l'alliance MRS a le pluralisme caractérisant toutes les alliances. Le parti MRS a ses bases idéologiques, ses statuts et son programme, et fonctionne en se référant à eux. L'alliance MRS est construite autour du programme du MRS, mais en dehors de ce programme, nous avons nos différences. Les alliances se construisent à partir de points d'accords, bien qu'au Nicaragua nous ayons l'habitude de commencer par les différences et non par les accords. Les opinions de Mundo Jarquín sont les siennes, pas celles du MRS. Les positions de nos députés sont nos positions officielles, fondées sur le programme que nous avons présenté quand Herty Lewites était candidat à la présidentielle en 2006. En 2006, nous avons été seul parti qui ait défendu le droit des femmes à l'avortement thérapeutique en cas de viol, d'inceste et lorsque la vie de la mère est en danger. Nous avons probablement perdu des votes sur cette question. Mais nous avons une position de principe. Nous voulons que le peuple sente que nous somme de ceux qui « font vraiment ce qu'ils disent ». Et cela nous paraît très important au moment où la crédibilité de l'élite politique en est au plus bas. Notre groupe parlementaire est petit, mais il a agi de façon conséquente. Nous nous sommes battus pour ce en quoi nous croyons. Et nous continuerons à le faire, à n'importe quel prix. Nous sommes certains de récupérer notre personnalité juridique pour les élections de 2011 et nous nous préparons à y concourir et à gagner.

Nous croyons que le MRS peut gagner les élections, nous croyons que nous avons la capacité de gouverner ce pays mieux qu'il n'a été gouverné dans les dernières années, avec une politique de plus grande proximité avec la société, une véritable redistribution de la richesse et la démocratie. Depuis qu'il est né, la vocation du MRS a été de rendre réelle l'option d'une gauche démocratique au Nicaragua. Aux élections présidentielles de 1996 nous avons récolté 8 000 votes. Mettons que l'on nous en ait volés 2 000... Bon, 10 000 au total. C'est peu, d'accord, mais combien de partis ont été créés, ont grandi, se sont multipliés et ont participé à ces élections depuis 1995 ? L'un d'entre eux, par exemple, le PRONAL, qui a été fondé par Antonio Lacayo et qui avait des ressources et des gens dans tout le pays, a déjà disparu... Et bien d'autres. Le MRS a été privé de personnalité juridique en 2000, et peu d'entre nous sont restés. En 2006 le MRS a atteint 200 000 et quelques votes, le Front Sandiniste 900 000. Combien de votes avait eu le Front sandiniste en 2000 ? 900 000. Le MRS est passé de 10 000 à 200 000 votes en dix ans, et le Front sandiniste, loin de croître, a diminué. Pourquoi ont-ils dû faire un hold-up sur les élections municipales du mois de novembre ? Parce qu'ils allaient faire face à une défaite gigantesque. Ce qui signifie que les gens ne croient plus en cette option. Au MRS nous avons appris que l'élément clé de la lutte est la ténacité.

C'est pour toutes ces raisons que l'une des priorités du MRS est de travailler avec les jeunes. Il est temps que la jeunesse agisse politiquement en demandant un pays qui ait un autre visage. Dans le MRS il y a des jeunes étudiants et travailleurs, des jeunes des classes moyennes inférieures, provenant des quartiers, de tout le pays, des paysans, des jeunes qui exercent différentes professions, qui ont une vocation politique, que la politique attire, et qui veulent faire du travail social dans les communautés. Nous sommes en train de préparer un congrès des jeunes qui aura lieu dans les prochains mois, pour les mener à des positions de pouvoir dans le parti, pour qu'il y ait une relève générationnelle et la formation d'un leadership des jeunes.

Ce n'est pas une tâche facile, parce que les jeunes ont aussi cette idée que pour assister à une réunion politique, ils doivent recevoir quelque chose en échange. Nous voulons construire quelque chose de différent, non pas pour eux mais avec eux. Et nous proposons une coresponsabilité entre la directive du parti et le leadership des jeunes.

Nous voulons qu'ils construisent un leadership et nous voulons établir des espaces de communication plus horizontaux avec ce leadership. Nous ne voulons pas une faction de jeunes, nous voulons que les jeunes assument les principes programmatiques et apprennent à utiliser les espaces de pouvoir dans le parti, parce qu'il est fréquent que de nombreux jeunes intègrent les partis sans savoir comment s'impliquer dans les décisions et finissent par être les assistants des vieux. Nous sommes en train de construire avec les jeunes et cela prend du temps. Est-ce que cet effort est lié aux élections de 2011 ? Non, il est lié au futur du pays. Nous ne devons pas abandonner l'idée de former les jeunes à bonne école, car sinon, la jeunesse imitera le mauvais exemple de la classe politique. Est-ce qu'il s'agit de la même chose que ce que nous avons voulu construire en notre temps ? Le monde a beaucoup changé ; nous devons leur demander quel pays ils veulent, comment ils vont le faire et les écouter. Les jeunes nous disent qu'ils veulent construire un modèle, et non que nous le leur donnions tout fait. En plus de construire leurs propositions, ils veulent aussi que nous les conseillons, nous les plus vieux, pour comprendre comment et pourquoi on fait de la politique. Avec eux nous travaillons aussi les quatre principes fondateurs du MRS : souveraineté nationale, développement économique et justice sociale, démocratie et solidarité. Au Nicaragua il y a une crise du leadership ; or ce sont les sociétés qui produisent ce leadership et nous n'allons pas résoudre cette crise de manière volontariste parce qu'on ne peut dire à personne « Sois leader ! ». Nous pouvons seulement contribuer à former des leaders à la base, qui atteindront le leadership dans quelques années.

Face à la crise au Nicaragua et à la crise internationale, qui est extrême, il n'y a pas d'autre solution qu'un véritable dialogue national où l'on mette à plat tous les problèmes – ceux de la démocratie, ceux de la justice, ceux de la sécurité des citoyens, les problèmes économiques auxquels sont confrontés les gens de la campagne et de la ville – pas seulement les problèmes du budget ou ceux des entrepreneurs. Lorsqu'en juin 2008 j'ai fait une grève de la faim nous proposions déjà un dialogue national mais on nous a ignorés. Le gouvernement a-t-il intérêt à promouvoir un tel dialogue ? Nous n'en voyons pas la volonté, nous n'en voyons pas les signaux. Mais nous voyons que le président Ortega affectionne les discours avec lui-même, les discours dans le miroir.

La crise nous touche alors que nous sommes divisés. Le Nicaragua a une société aujourd'hui très polarisée. Ceci rend le dialogue difficile. Mais ce ne sont pas les critiques que nous faisons au gouvernement qui ont polarisé la société. C'est le gouvernement qui a polarisé le pays. Et qui l'a polarisé de façon délibérée. Il a commencé à gouverner avec très peu d'ennemis. Tout le monde voulait lui laisser le bénéfice du doute, ce que l'on a fait. Tel était l'idée dominante au Nicaragua au début de l'année 2007. Mais très vite, le président a commencé à attaquer : les partis, les ONG, les syndicats, les organisations, les médias, les ambassades, la coopération étrangère, les églises, et même certains de ses partisans. Je ne sais pas pourquoi il l'a fait, je n'ai pas de réponse. Mais tout ceci a de plus en plus polarisé le pays. Le gouvernement a construit ce discours polarisé en traitant toutes les voix critiques de « traîtres, vendus à l'étranger, pantins, fainéants ». Pourquoi le gouvernement a réagi de cette façon lorsque j'ai fait la grève de la faim, alors qu'il s'agissait juste d'une réaction au fait qu'on nous avait enlevé le droit d'élire et d'être élus ? Pourquoi le gouvernement a-t-il licencié des médecins et des instituteurs parce qu'ils n'étaient pas orteguistes ? Pourquoi poursuit-il, dans son propre parti, ceux qui ne lui sont pas inconditionnels ?

Le gouvernement a également polarisé les élections municipales. Ils ont voulu les polariser. Si on n'avait pas enlevé au MRS sa personnalité juridique, nous aurions fait campagne pour nos propres candidats. Nous avions des candidats dans 141 des 153 municipalités du pays. Si l'on ne s'était pas débarrassé d'Eduardo Montealegre à l'ALN, il aurait fait sa campagne avec ses candidats. Et l'élection n'aurait pas été polarisée. Nous sommes sûrs de récupérer notre personnalité juridique pour les élections de 2011 parce que la polarisation politique et économique organisée par le gouvernement est insoutenable. Le gouvernement a construit son projet politique sur le conflit. Je sens que ce gouvernement est paranoïaque, qu'il voit des ennemis partout et que tout le monde a fini par devenir son ennemi. Et c'est une tragédie nationale.

Cette crise est un moment qui ouvre de grandes chances pour relancer la production alimentaire et rechercher de nouvelles formes du vivre ensemble. Le Nicaragua a besoin d'un dialogue sérieux pour modifier ce qui a été mal fait et pour donner une direction à l'économie en profitant des occasions provoquées par la crise. Tout le monde a accepté de soutenir l'effort d'un dialogue national. Et je suis sûre que si dans cette situation de crise, le gouvernement convoquait un dialogue national qui mette à plat tous les problèmes, alors tous y participeraient avec bonne volonté. C'est au gouvernement de prendre l'initiative. Nous espérons que le président Ortega prendra le temps pour faire un bilan, maintenant que s'achève sa « première mi-temps » et décide de gouverner pendant la « deuxième mi-temps » en rectifiant sa conduite et en conduisant le pays sur un chemin moins risqué que celui sur lequel il nous a menés.

Traduit de l'espagnol par Julie Devineau

VARIA

« ALZARSE » : LES FORMES D'UNE PRATIQUE DEPUIS L'ÉPOQUE DES *PALENQUES* JUSQU'À L'EXTINCTION DES DERNIERS GROUPES DE GUÉRILLEROS ANTICASTRISTES

Vincent BLOCH *

INTRODUCTION : SENS INDIVIDUEL ET SENS COLLECTIF DE L'ENGAGEMENT GUÉRILLERO CONTRE LE RÉGIME CASTRISTE (1959-1965) ?

Alors que l'histoire officielle n'évoque qu'une brève « lutte contre les bandits de l'Escambray [1] », Fidel Castro lui-même a fini par reconnaître, peu de temps avant de céder provisoirement le pouvoir à son frère, que l'opposition armée à son régime entre 1959 et 1965 avait touché toutes les provinces de l'île [2].

Depuis près de 50 ans, les « livres témoignages [3] », le cinéma [4], la presse et les dirigeants ont pourtant minimisé l'ampleur de ces affrontements armés,

---

* Vincent Bloch est doctorant en sociologie à l'EHESS ; ATER en sociologie à Paris X. Une précédente version de cet article a été publiée dans la revue électronique *Nuevo Mundo Mundos Nuevos*.
1. Région montagneuse située au centre de l'île.
2. L'historien cubain anticastriste Enrique Encinosa (Encinosa, 1989) estime même que l'on ne s'était plus autant battu à Cuba depuis l'époque des *mambises* – Combattants de l'armée de libération pendant les guerres d'indépendance (1868-1878 et 1895-1898).
3. Voir par exemple de Manuel Pereira, *El comandante veneno* (La Habana, Editorial Letras Cubanas, 1979) ou de Osvaldo Navarro, *El caballo de Mayaguara* (La Habana, Editorial Letras Cubanas, 1984).
4. Le film *El hombre de Maisinicú* (réalisé en 1973 par Manuel Pérez et Víctor Casaus) exalte « l'héroïsme » d'Alberto Delgado Delgado qui, chargé par la Sûreté de l'État d'infiltrer les « bandits », devient l'administrateur de la finca Maisinicú. Parvenant à gagner leur confiance et à les faire tomber par groupes successifs dans le piège tendu par la Sûreté de l'État, il est dans le film exécuté par les derniers bandits de l'Escambray. La musique du film, écrite et interprétée par Silvio Rodríguez, aujourd'hui député à l'Assemblée nationale du pouvoir populaire, a également pour titre « El hombre de Maisinicú ».

n'évoquant que des « actes de vandalisme », perpétrés par des « bandits » asociaux en collusion avec les « mercenaires » recrutés par Batista et la CIA.

Peu connu des Cubains de l'île quelle que soit sa version, ce chapitre de l'histoire nationale est devenu en revanche au sein de l'exil la pierre angulaire d'une « mémoire de la résistance au totalitarisme ». Les maquis qui se sont formés au cours des années 1959-1965, les réseaux de sabotage qui se sont organisés, les organisations clandestines qui se sont créées, étaient unis, à en croire cette mémoire en exil, par leur sens du devoir patriotique et leur opposition au communisme et à la dictature personnelle de Fidel Castro.

Il est néanmoins difficile de s'en tenir au récit des protagonistes sans les réinscrire dans un contexte historique plus large. D'une part, *prendre le maquis* est une pratique ambivalente enracinée dans les temps longs de l'histoire insulaire, tout autant que la « torche incendiaire [5] » et le sabotage font partie du répertoire de l'action collective depuis les guerres d'indépendance. D'autre part, les événements survenus au cours des plus de quarante années qui se sont écoulées depuis l'extinction des derniers foyers de guérilla anticastriste, ont inévitablement contribué à infléchir la mémoire des *alzamientos* et à la cristalliser en termes de « croisade contre le mal ». Entre l'époque des maquis et les années 1980-2000, au cours desquelles la mémoire de la « lutte contre le totalitarisme » s'est institutionnalisée au sein de l'exil, la plupart des *alzados* qui ont survécu ont enduré de longues peines de prison, pendant lesquelles ils ont été soumis à une entreprise de destruction méthodique, et vu de nombreux « compagnons de lutte » périr sous leurs yeux. Les générations suivantes de prisonniers politiques, quelle que soit leur « forme de lutte », se sont inscrites dans la filiation de ces premiers opposants qu'elles ont érigés en mythes. Entre-temps aussi ont eu lieu en 1980 l'exode de Mariel, à l'issue duquel environ 125 000 Cubains ont pu quitter l'île, et la crise de l'été 1994, qui a précipité l'arrivée sur les côtes de la Floride de 30 000 *balseros*. Le récit de leurs conditions de vie à Cuba, semblable à celui de l'ensemble des nouveaux arrivants, s'articule autour des privations matérielles, de l'absence de liberté et de l'obligation de manier au quotidien doubles registres et faux-semblants. Tous ces éléments se sont agrégés a posteriori pour forger l'image d'un système à tel point linéaire et cohérent dans son travail de destruction de l'individu, de la société et du pays, que, dans le récit antitotalitaire, les premiers groupes qui s'y sont confrontés en sont devenus tout aussi logiquement des révolutionnaires [6] en croisade contre le communisme.

L'objet de cet article est, à partir d'une analyse historique, de décrire la complexité de ces *alzamientos* en réfléchissant sur la façon dont s'y sont entremêlés

_____

5. En 1868, les rebelles brûlèrent, par exemple, la ville de Bayamo avant de devoir l'évacuer sous la menace de l'avancée des troupes espagnoles. L'incendie des cannaies fut un recours utilisé aussi bien par les *mambises* que par les différents insurgés de l'époque républicaine.
6. La « révolution inachevée » étant associée depuis les guerres d'indépendance au destin messianique de Cuba, se dire « révolutionnaire » pendant la période républicaine (1902-1952/1958) était avant tout l'expression d'un attachement à cet idéal, au-delà des clivages partisans.

des pratiques ancrées dans les temps longs de l'histoire locale, des registres de l'action politique participant du « système des concurrents pour le pouvoir », et des enchaînements séquentiels qui ont déplacé ces affrontements vers un terrain idéologique, puis vers des représentations fantasmagoriques.

« COGER MONTE » : UNE PRATIQUE ARTICULANT MODES DE SOCIALISATION ET CATÉGORIES POLITIQUES

Le « pays en dehors » et ses interstices

Évoquant les temps lointains de la colonie, l'historien cubain Manuel Moreno Fraginals insistait sur la différence entre la Cuba continentale et la Cuba insulaire (Moreno Fraginals, 1995, pp. 92-93). La première, tournée vers la métropole et le Nouveau Monde, était un espace d'échanges où se côtoyaient diverses influences. La seconde était enclavée et organisée autour des plantations et du mode esclavagiste qui lui était lié.

Mais il faudrait ajouter qu'à distance de ces deux mondes se trouvaient encore les *palenques*, où marrons et hors-la-loi trouvaient refuge, et le *monte* ou la *manigua*, à travers lesquels circulaient bandits, contrebandiers, *rancheadores* [7] et *guajiros* [8].

À l'intérieur de ce territoire mal unifié, certains *palenques* échappèrent au contrôle des autorités jusqu'à la première guerre d'indépendance [9] et constituèrent même parfois des enclaves autarciques régies par des règles autochtones (Price, 1996, pp. 18-21). Comme le rappelait le géographe cubain Francisco Pérez de la Riva, certains *apalencados* ont à tel point recherché l'isolement que l'expression « *coger monte* » évoque encore de nos jours à Cuba la volonté de retrait [10] ou la timidité (Pérez de la Riva, 1996, p. 58). Mais Richard Price (1996, pp. 12-14) a également démontré combien les marrons restaient fortement dépendants du monde de la plantation, pour le rapt de femmes, en extrême minorité dans les *palenques*, pour la prise de renseignements auprès d'esclaves leur indiquant la présence de *rancheadores*, ou pour l'approvisionnement en armes, outils, vêtements et la vente de peaux, gibier, miel, etc. La présence de contrebandiers et de pirates qui trouvaient refuge dans les *palenques* ou y entreposaient leurs marchandises renforçait encore ces réseaux de sociabilité entre les *apalencados* et le monde colonial établi. Enfin la pratique du « petit marronage » illustrait la possibilité d'aller et venir entre les deux mondes, et même de se mouvoir entre la Cuba insulaire et la Cuba continentale, les marrons s'appuyant sur des formes

---

7. Chasseurs de marrons.
8. Désignant aujourd'hui les habitants de la campagne en général, les *guajiros* étaient à l'origine des hommes à cheval qui se déplaçaient à travers le *monte*.
9. Même après l'introduction de la *guardia civil* et de la police provinciale au XIXᵉ siècle.
10. De la même façon, on parle du « ganado cimarrón » pour évoquer les animaux domestiques introduits par les colons et qui se sont échappés dans le *monte*, avant de s'y acclimater.

précaires d'entente avec les noirs libres ou esclaves *a jornal* des villes pour passer plus facilement inaperçus et s'intégrer à la seconde.

Le *monte* constituait donc autant un « pays en dehors » [11] qu'une mosaïque d'interstices, et les modes de socialisation qui lui étaient attachés, à cheval sur plusieurs mondes, ne menaçaient guère la perpétuation de l'ordre établi. Cet univers de marges évoquait bien un certain nombre d'images fantasmagoriques autour des hors-la-loi, de la sorcellerie ou de la barbarie africaine, mais son indéfinition ne devint problématique aux yeux de la société coloniale qu'à partir du moment où elle fût réinterprétée à la lumière des catégories politiques qui sapaient le système en place.

Ainsi, même si le marron était l'un des personnages qui, dans l'imaginaire de la période coloniale, cristallisait depuis toujours le fantasme d'un « péril noir » (Helg, 1995, pp. 17-18), l'éradication des *palenques* ne devint une priorité qu'à partir de la première moitié du XIXe siècle. C'est en effet à cette époque que l'introduction massive d'esclaves, consubstantielle au boom sucrier, donna la majorité démographique à la population afro-cubaine, et que la révolution des esclaves de Saint-Domingue propagea au sein des populations blanches la hantise d'une répétition du scénario haïtien à Cuba. La volonté de détruire les *palenques* et la répression simultanée de complots noirs [12] dont la réalité n'était pas forcément tangible, montre combien c'est notamment à partir de la perception qu'elle avait de l'existence de ces liens de sociabilité unissant « le pays en dehors » au « cœur » du monde établi, que la société coloniale sentait son ordre menacé par les thématiques égalitaires ou indépendantistes.

Au cours de la deuxième moitié du XIXe siècle, la peur des bandits est un temps venue supplanter celle des *apalencados* et des marrons. Aux yeux des voyageurs détroussés et des propriétaires terriens rançonnés qui craignaient de voir leur richesse partir en fumée, les bandits mettaient en évidence l'incapacité des autorités péninsulaires à administrer efficacement la colonie et à établir leur contrôle sur tout le territoire (Bizcarrondo, Elorza, 2001 ; Schwartz, 1989, p. 121). Pour le gouverneur général Camilo Polavieja, il était plus évident encore qu'entre les deux guerres d'indépendance, les bandits de la province de La Havane agissaient de concert avec les séparatistes, et que ceux-ci étaient susceptibles de réduire le territoire régi par l'ordre colonial à quelques enclaves, s'ils parvenaient à placer sous leur contrôle l'enchevêtrement des réseaux ruraux, urbains, officiels et parallèles qui constituait l'espace social au sein duquel se mouvaient les « hors-la-loi » (Schwartz, pp. 139-224). L'éradication des bandits à partir des années 1880 ne devint donc la priorité des autorités politiques qu'à partir du moment où il leur sembla que la sauvegarde de l'ordre colonial en dépendait.

---

11. À la manière du monde rural et bossal en Haïti, tel que le décrit Gérard Barthélemy (1990).
12. Stephan Palmié (2002, p. 79-158) a montré combien il était finalement peu probable que le noir libre José Antonio Aponte, exécuté par les autorités coloniales en 1812, ait réellement conspiré en vue d'un soulèvement indépendantiste.

Pourtant, les modes de structuration de ces espaces sociaux intermédiaires étaient pour le moins précaires, et il n'existait pas d'affinité mécanique entre la sociabilité du *monte* et les catégories politiques mises en exergue par les mouvements indépendantistes.

En s'autoproclamant *rey de los campos de Cuba*, Manuel García, le plus célèbre des bandits de la région de La Havane-Matanzas, ne projetait ainsi que l'image trompeuse d'un « monde en dehors » unifié par les bandits. Ceux-ci se déplaçaient dans la province en bénéficiant certes sur leur passage de la protection des uns et des autres grâce aux liens matrimoniaux, amicaux ou d'honneur qu'ils entretenaient, au versement de sommes d'argent aux représentants locaux du pouvoir colonial ou à la redistribution d'une partie de leur butin auprès des paysans pauvres et des *bodegueros*, dont ils faisaient fonctionner le commerce. Blancs à quelques exceptions près, les bandits contribuaient également par leurs démonstrations de force à l'instauration d'un ordre, et permettaient un resserrement des échanges autour de relations de caciquisme. Mais l'historienne Rosalie Schwartz (1989, pp. 86-91) a décrit l'incohésion de cette mosaïque d'interstices au sein de laquelle immigrants, représentants locaux de l'autorité, bandits, spéculateurs, producteurs et commerçants étaient à l'affût des opportunités de profits offertes par les activités économiques liées au sucre, au tabac, à l'élevage, à l'achat-vente de terres et de biens immobiliers... Ces zones de colonisation en pleine transformation étaient trop fluides pour que des groupes instables et dont la légitimité était fragile y implantent une forme de domination durable ou puissent se réclamer d'une idéologie effective.

Une structure sociale extrêmement instable

La mosaïque d'interstices entre la Cuba continentale, insulaire, celle du *monte* et des *palenques*, des bandits, des caciques, des planteurs et des paysans, fut par conséquent un lieu où, dans le cadre des affrontements armés du XIXᵉ siècle, se nouèrent des alliances stratégiques incertaines, articulées à des catégories politiques contingentes.

Au cours de la première guerre d'indépendance, sans forcément désirer l'indépendance vis-à-vis de la Péninsule ou l'annexion aux États-Unis, mais en vue d'acquérir la liberté et éventuellement de se voir reconnaître un statut égal à celui des Blancs, les *apalencados* se montrèrent enclins à coopérer avec les insurgés (Ferrer, 1999, p. 34). Au cours des années 1890, sans qu'il soit toujours possible de distinguer clairement dans quelle mesure l'appât du gain l'emportait sur le sentiment antipéninsulaire, les bandits de La Havane ont mis leurs réseaux à la disposition des chefs indépendantistes. Les paysans pauvres, sensibles aux promesses d'amélioration au sein d'une « patrie libre », finirent également par appuyer les séparatistes. Mais les insurgés eux-mêmes partagés jusqu'au bout entre secteurs indépendantistes, réformistes et annexionnistes, n'hésitèrent pas, au moment où ils sentaient la victoire proche, à réaffirmer la prétention des élites traditionnelles à encadrer une nation d'ordre et de progrès, et à refermer la parenthèse de circonstance qui les avait amenés à fermer les yeux sur la participation des bandits à la lutte armée, et à exalter l'égalité et le droit de tous les Cubains à gouverner et à décider du destin du pays.

Cette façon de se situer finalement toujours aux marges d'interstices plutôt qu'au sein d'un collectif intégré révèle une structure sociale extrêmement instable faite de groupes concurrents dont la composition fluctuait au gré des aléas. Aussi les guerres d'indépendance définirent-elles autant une forme d'intransigeance et d'idéalisme face à l'apesanteur ambiante qu'elles se prolongèrent en s'appuyant et en perpétuant ces réseaux de sociabilité qui flottaient aux interstices de plusieurs mondes. Du point de vue de la culture politique *cubaine*, la glorification de l'idéal séparatiste de sacrifice au nom de la patrie répandit la geste de l'immolation au combat, du suicide d'honneur et du suicide altruiste, dont l'écho allait retentir tout au long de la période républicaine (Pérez Jr, 2005, pp. 65-130, Whitney, 2001, p. 68). Du point de vue de « l'économie » territoriale, les insurgés passèrent l'essentiel du temps de guerre à effectuer des allers et venus entre les villes sous contrôle espagnol et la *manigua*, et plus encore à attendre à l'intérieur des campements *mambises*, menant une existence en retrait (Ferrer, 1999, pp. 173-177).

Au cours des premières décennies du XXᵉ siècle, l'émigration massive en provenance d'Espagne et le recours à la main-d'œuvre saisonnière en provenance du reste de la Caraïbe allaient encore complexifier la structure sociale. De vastes zones rurales, cultivées par les nouveaux arrivants en provenance d'Espagne, devinrent des enclaves quasi-autarciques, tandis que le *monte* continuait d'être le sanctuaire des bandits de grand chemin et que la vigueur de l'économie sucrière introduisait encore davantage d'instabilité. Pour les *braceros*, par exemple, dont le travail était saisonnier, le *tiempo muerto* était une période aléatoire au cours de laquelle ils pouvaient glisser du mode de vie sédentaire des plantations à une existence nomade à la recherche de moyens de subsistance.

Des groupes flottants continuaient ainsi d'évoluer aux marges de différents registres de socialisation, entre zones de retrait, espaces économiques formels et réseaux précaires d'échanges parallèles ou intermédiaires. Fugaces et locaux, leurs modes de structuration politique variaient au gré des aléas.

« *Alzarse* » aux temps de la « *république sous médiation* »

Le premier président de la République, Tomás Estrada Palma, fut réélu sous la bannière du Parti conservateur aux élections de 1905. Depuis la proclamation de l'indépendance en 1902, son gouvernement n'avait non seulement pas mis fin à la malhonnêteté administrative qui régnait à l'époque de la colonie, mais il avait aussi confié les rênes du pays aux classes possédantes, aux anciens autonomistes et aux émigrés de retour des États-Unis. Les vétérans de l'Armée de libération (qui comptait 65 à 70 % d'afro-cubains lors de la guerre de 1895-1898) en ressentaient une amertume particulière (Helg, 1995, pp. 118-120), et n'hésitèrent pas en août 1906 à rejoindre l'insurrection emmenée par le général José Miguel Gómez, candidat du Parti libéral aux élections de 1905. Pour une part, certains d'entre eux étaient insurgés par intermittence depuis près de quatre décennies, n'avaient connu d'autre canal d'ascension que la carrière des armes, vivaient comme des indigents depuis la fin de la guerre, et étaient disposés à mourir s'ils ne parvenaient pas à améliorer leur sort. Pour une autre part, les Libéraux s'assurèrent rapidement le contrôle du centre et de l'ouest de l'île, et avaient calculé que leur capacité de déstabilisation forcerait le gouvernement élu à renégocier le partage du pouvoir et des prébendes.

En effet, l'amendement Platt, conjointement à la déclaration d'indépendance, avait donné à l'armée américaine le droit d'intervenir afin de rétablir l'ordre ou de protéger les propriétés étrangères. Les deux partis considérant qu'ils avaient davantage à gagner en demandant l'intervention des États-Unis, plutôt que dans le cadre d'une négociation bilatérale, l'armée américaine occupa à nouveau l'île jusqu'en 1909, date à laquelle José Miguel Gómez fût élu président de la République.

Jusqu'à son abrogation en 1934, l'amendement Platt ne fut pas ressenti uniquement comme une intrusion impérialiste, et fut au contraire utilisé par les hommes politiques comme un recours supplémentaire dans la gestion interne de leurs luttes de pouvoir (Domínguez, 1978, pp. 12-19). Suivant le même schéma qu'en 1906, les Libéraux se révoltèrent en février 1917 après la réélection du président conservateur Mario García Menocal, donnant lieu en août à une intervention indirecte de l'armée américaine, qui se prolongea jusqu'en 1922. Mais l'amendement Platt fut le plus souvent instrumentalisé de façon mesurée : en menaçant de s'en prendre aux propriétés étrangères ou en effectuant une démonstration de force ponctuelle, les opposants pouvaient aussi forcer le pouvoir en place à négocier afin d'éviter l'intervention américaine, tandis que le gouvernement pouvait à son tour brandir la menace d'une occupation pour enjoindre à ses détracteurs de modérer leurs revendications.

Le *plattisme* s'intégra ainsi à un mode d'usage de la violence lié au « système des concurrents pour le pouvoir ». Selon Charles Anderson (Anderson, 1967), l'espace politique centraméricain – et par extension cubain – était en effet « le lieu d'un processus de manipulation et de négociation entre des concurrents pour le pouvoir dont les ressources [faisaient] l'objet d'une appréciation et d'une reconnaissance réciproque afin de parvenir à un accord négocié au sommet ». (Bataillon, 2003, p. 62). Ce système était apte à recevoir de nouveaux concurrents, pour peu que les ressources qui leur permettaient d'influer sur la vie politique, et parmi lesquelles l'usage de la violence et les démonstrations de force figuraient en bonne place, démontrassent leur « capacité de pouvoir ». Mais la politique était conçue comme l'apanage d'un petit nombre en charge de protéger la civilisation, et le système des « concurrents pour le pouvoir » ne comptait pas de représentant des exclus.

Aussi, lorsqu'en 1912 les « insurgés » du Parti des indépendants de couleur – un parti revendiquant principalement l'égalité raciale et une répartition équitable des emplois publics entre Noirs et Blancs – menacèrent de détruire des propriétés étrangères et de prendre le maquis, environ 5000 d'entre eux furent massacrés par des « milices de jeunes gens des meilleures familles [13] » (Helg, 1995, pp. 215-225). À cette occasion, le président José Miguel Gómez avait reçu l'appui unanime de la classe politique, en réprimant un mouvement qui risquait de provoquer une intervention américaine. Il avait surtout présenté « l'insurrection » comme « raciste » en jouant sur les ressorts fantasmagoriques des images de la « barbarie africaine », alors que bandits, maraudeurs et volontaires avaient profité de la situation dans l'est de l'île pour s'adonner au pillage.

LE SYSTÈME DES CONCURRENTS POUR LE POUVOIR : UNE LECTURE COMMUNE DU JEU POLITIQUE

La fluidité du « système des concurrents pour le pouvoir »

Gerardo Machado, au pouvoir depuis 1928, avait soudé ses opposants contre lui avant tout parce qu'il avait bloqué le système des concurrents pour le pouvoir. Après la fuite du dictateur en août 1933, la « révolution des sergents » avait un mois plus tard déposé la hiérarchie militaire sur fond de pression populaire, et fomenté un coup d'État qui ouvrit la voie à une modernisation du pays. Le « gouvernement révolutionnaire » des « 100 jours » dirigé par le Dr Ramón Grau San Martín et Antonio Guiteras promulgua un ensemble de décrets garantissant une meilleure redistribution des richesses et un accès élargi aux droits sociaux.

Après le renversement du gouvernement, et l'assassinat de Guiteras en janvier 1935, les partisans de Grau avaient fondé le Parti révolutionnaire cubain authentique pendant que dans le même temps les « groupes d'actions » flottaient entre activités subversives, crime organisé et règlements de compte au nom de la « révolution trahie [14] ». Subordonnant leur combat à une vague « thèse insurrectionnelle », les « éléments d'action », qui pour certains s'exilèrent ou rejoignirent les Républicains espagnols [15] (Pérez Jr, 1995, p. 277), avaient au prix de leur vie, démontré la capacité de pouvoir de leurs commanditaires.

Au niveau des « classes populaires », il était clair, après la « révolution de 1933 », que bien qu'inorganisées et faiblement articulées avec les mouvements « radicaux », leur capacité de mobilisation avait été décisive pour contraindre Machado à renoncer au pouvoir. Comme l'écrit Robert Whitney (2001, p. 179), « Batista était suffisamment intelligent pour comprendre que la politique à Cuba ne serait plus jamais la même après 1933 et que "la paix sociale" et la

---

13. Même dans le cadre de l'insurrection libérale d'août 1906, certains alliés de José Miguel Gómez avaient reçu un traitement qui en disait long sur la légitimité qui leur était reconnue de prétendre à être intégré au « système des concurrents pour le pouvoir ». Ainsi le général afro-cubain Quintín Banderas, vétéran des guerres d'indépendance, fut assassiné dans son sommeil avant que son corps ne fût mutilé (Helg, 1995, pp. 118-120).
14. Dans le vocabulaire des groupes d'action, une « expropiación forzosa » désignait par exemple un « asalto a mano armada ».
15. À l'instar de Pablo de la Torriente Brau, correspondant du journal mexicain *El Machete*, de sensibilité communiste, mort au combat en décembre 1936.

"démocratie" dépendaient de l'incorporation au processus politique des classes populaires dorénavant disciplinées ». Architecte d'un nouvel « État corporatiste » (Whitney, 2001, pp. 123-152), Batista se proposa dans les années 1935-1940 « d'équilibrer » et de « discipliner » le corps social, d'une part en œuvrant à la promulgation de mesures de redistribution ou à la création d'écoles en milieu rural, dont le financement fût assuré par une taxe prélevée sur les profits des producteurs sucriers, et d'autre part en nouant alliance avec les communistes et en permettant la création de la Confédération des travailleurs cubains (CTC). Dans un contexte marqué par la guerre d'Espagne [16] et par l'opposition croissante des États-Unis au fascisme, Batista prit soin de réaffirmer l'ancrage de Cuba dans le camp de la démocratie. Si le rapprochement entre les communistes et Batista relevait de part et d'autre de la stratégie, il permit surtout à ce dernier de s'approprier l'héritage de la « révolution de 1933 » pour asseoir son projet populiste (Whitney, 2001, p. 179), et plus encore, de maintenir son hégémonie sur les autres concurrents pour le pouvoir. Fort du soutien de l'armée, il facilita l'intégration de Grau au système, lequel adopta une posture réformiste. La constitution progressiste de 1940 permit de formaliser la réorganisation d'un système des concurrents pour le pouvoir incluant le Parti authentique et le Parti socialiste populaire.

Dans ce contexte, la violence des gangs, surtout à partir des années 1940, relevait autant d'une logique populiste et prosaïque d'exaltation de la « justice révolutionnaire » qu'elle était intégrée au système des concurrents pour le pouvoir. Quand Grau remporta les élections présidentielles de 1944, les groupes d'action avaient déjà commencé à dériver vers le gangstérisme, processus qui s'accéléra à mesure qu'ils obtinrent des prébendes et entrèrent en collusion avec les intérêts gouvernementaux.

De la même façon, le coup d'État du « second Batista » ne rencontra d'opposition qu'à partir du moment où il devint clair que ce dernier, refusant de négocier avec « l'opposition modérée » (Pérez Stable, 2002), bloquait le système des concurrents pour le pouvoir, et, a fortiori, les rouages de l'économie. Les difficultés du pays dans ce domaine à partir de 1956 fragilisèrent encore sa position. Pourtant, si dans ce nouveau contexte la thèse insurrectionnelle semblait davantage faire sens, et raviver la flamme de la révolution de 1933, la rhétorique du sacrifice (Pérez Jr, 2005, pp. 332-334) sur laquelle s'appuyait Fidel Castro, même si elle entrait en résonance avec un champ lexical bien enraciné, n'en demeurait pas moins à bien des égards une posture.

Certes, Fidel Castro faisait partie à la fin des années 1940 du milieu des gangs, et l'obéissance attendue aux ordres qu'il donnait en tant que chef, quel que soit le danger, dérivait directement de la culture des « groupes d'action » (Ortega, 1970, pp. 317-327). Très tôt également, il semblait rêver idéalement et sans plan pré-

---

16. Phalangistes et franquistes étaient présents en nombre à Cuba, et mirent en garde Batista après qu'il eut légalisé le Parti socialiste populaire (PSP, communiste). Dans le même temps, les producteurs sucriers n'hésitaient pas à qualifier de « fascistes » les mesures de redistribution auxquelles il avait œuvré.

établi à une refonte totale de la nation, des institutions et de la société (Farber, 2006, p. 63). Mais si les morts étaient érigés en martyrs et leur disposition à tomber pour la cause systématiquement glorifiée, l'attaque de la caserne Moncada le 26 juillet 1953, dont Fidel Castro était à l'origine, s'inscrivait dans une logique de démonstration de force pour prétendre à s'intégrer dans un premier temps à l'un des maillons du système des concurrents pour le pouvoir.

Le débarquement du *Granma* et l'implantation dans la Sierra Maestra relevaient également d'une stratégie de positionnement. Il s'agissait avant tout de donner une visibilité à « sa » guérilla, surtout que les 50 000 *precaristas*, squatteurs et autres indigents qui peuplaient la zone (Pérez Jr, 1995, p. 292) représentaient des dépendants potentiels, qui de fait furent assimilés facilement à son réseau. Dans la même perspective, au cas où, le 13 mars 1957, l'attaque du palais présidentiel par des militants du Directoire révolutionnaire des étudiants (DRE) aurait été couronnée de succès, les dirigeants du mouvement avaient prévu de former un gouvernement provisoire à Santiago (Schweig, 2002, p. 18). Non pas que la prise du palais leur aurait garanti le pouvoir, mais elle leur aurait donné la possibilité de négocier en position de force avec le reste de l'opposition et les rivaux du M26. Comme l'enjeu minimal sur lequel concordaient toutes les composantes de l'opposition était le « retour à la normalité constitutionnelle », la tactique du Mouvement du 26 juillet et de l'autoproclamée « Génération du centenaire de la naissance de Martí » restait la configuration d'un rapport de force le plus à leur avantage possible dans le cadre de futures négociations.

Ensuite seulement, se retrouvant de façon en partie fortuite dans une position prépondérante au sein des forces anti-batistiennes, la guérilla de Castro passa d'une volonté de peser dans l'opposition à la prétention à la diriger et la régenter (Sweig, 2002).

La place des guérillas dans le front d'opposition à Batista

La perspective d'une redistribution des cartes après le renversement de Batista contraignit tous les prétendants au pouvoir à rechercher à leur avantage les combinaisons possibles entre les différents maillons qui constituaient le front d'opposition.

L'appel à l'unité du « Manifeste de la Sierra », signé en juin 1957 par Fidel Castro et quelques personnalités de la vie publique nationale [17], reflétait la précarité de la position du M26, qui tout en cherchant à préserver sa marge de manœuvre, devait composer avec les autres organisations révolutionnaires comme le DRE ou la Fédération des étudiants de l'université (FEU) dans la définition d'une stratégie de lutte au sein de l'opposition, autant qu'il devait rechercher un soutien financier et une légitimation politique auprès de la « vieille opposition »

---

17. Parmi lesquelles des « Orthodoxes historiques » dont Raúl Chibás, le frère du fondateur du Parti orthodoxe, Eduardo Chibás, qui s'était suicidé en 1951, et Felipe Pazos, président de la Banque nationale de Cuba sous la présidence de Carlos Prío Socarrás.

et des « *politiqueros* » (le Conjunto de Instituciones Cívicas [18] « l'Organisation authentique » de l'ancien président Prío Socarrás et de l'ancien Premier ministre Tony Varona, la Agrupación Montecristi [19], le groupe des « puros » [20]…) (Sweig, 2002).

La posture unitaire privilégiée par l'ensemble des organisations maintenait dans l'ombre les négociations incessantes entre secteurs politiques représentant des intérêts, des générations et des conceptions différentes de la société et des réformes à venir. Pour « l'opposition traditionnelle », l'enjeu de telles négociations était de s'assurer une place prépondérante au sein d'un bloc d'organisations, d'un côté en gagnant le soutien d'un secteur du gouvernement américain, qu'il s'agisse du Département d'État ou de la CIA [21], de l'autre, en plaçant sous son égide des protagonistes armés dans l'île. En amont, une alliance au sein du gouvernement américain conférait un soutien politique, logistique et financier ; en aval, l'usage de la force comme ressource de pouvoir faisait la démonstration d'une capacité à maintenir sous contrôle un territoire ou un secteur de la société. Pour les « mouvements révolutionnaires », eux-mêmes divisés sur des lignes internes qui recoupaient en partie les clivages décrits plus haut, l'enjeu était double. D'une part, il consistait à se maintenir dans la configuration liée au « front unitaire », pour ensuite réussir à prendre l'ascendant sur les secteurs politiques traditionnels grâce à la légitimité conférée par la lutte armée. D'autre part, en vue de créer un climat insurrectionnel mais sans être capables d'y parvenir seuls, le M26 ou le DRE mirent en place des alliances transversales avec des organisations capables de mobiliser étudiants, ouvriers et paysans.

En juillet 1958, deux ans après la signature du Manifeste de la Sierra, Fidel Castro fit rédiger par Carlos Franqui et Faustino Pérez un texte qui plaçait toutes les organisations d'opposition sous l'égide du M26, et devint une fois approuvé par ces dernières le pacte de Caracas. Dans l'intervalle, l'hégémonie du M26 avait été rendue possible par les succès militaires de la guérilla, et au moment où Batista prit la fuite, la lutte armée s'était imposée aux yeux de tous comme le moyen privilégié de prétendre aux premiers rôles. Comme l'a montré récemment Julia E. Sweig, jusqu'à ce que la stratégie de la grève insurrectionnelle n'échoue en

18. Un vaste regroupement d'associations professionnelles et religieuses dirigé par Raúl de Velasco, président de l'Association cubaine de médecine, et intégré par des personnalités importantes comme José Miró Cardona, président de l'Association du barreau de La Havane.
19. Autour de Justo Carrillo, ancien leader étudiant au sein de l'opposition à Machado, elle réunissait une partie des élites intellectuelles et économiques de l'île.
20. Des officiers militaires d'esprit réformiste associés avec Ramón Barquín, le leader emprisonné après un coup d'État manqué en 1956.
21. À la fin de l'année 1957, Felipe Pazos était le candidat de premier choix du département d'État à la présidence de la république (Sweig, p. 85). À la fin de l'année 1958, Justo Carrillo d'un côté et Prío, Varona et Miró Cardona de l'autre, tous signataires du pacte de Caracas, avaient séparément obtenu l'appui de la CIA pour contrer la victoire du M26 (Sweig, p. 178). De façon générale, les différents acteurs représentant le gouvernement américain dans son ensemble avaient leur stratégie propre, et n'hésitèrent pas à soutenir d'une manière ou d'une autre tous les camps en présence à la fois.

avril 1958, et que Fidel Castro ne prenne le contrôle total du M26 et ne prévale la stratégie de la guerre de guérilla lors de la réunion qui s'ensuivit, la *sierra* recevait ses ordres du *llano* et non l'inverse. Pour le M26, cette évolution eut plusieurs conséquences.

Premièrement, le M26 était traversé par de fortes rivalités internes au moment du « triomphe de la révolution ». Deuxièmement, dans le contexte du début de l'année 1959, « la vieille opposition » percevait Fidel Castro en tant qu'acteur central auprès duquel il convenait de faire la démonstration d'une capacité de pouvoir pour prétendre à des prébendes. Plus encore, avec le juge Manuel Urrutia à la présidence de la République, Miró Cardona au poste de Premier ministre ou Felipe Pazos à la présidence de la Banque nationale de Cuba, l'ensemble de la classe politique n'imaginait pas Fidel Castro enclin lui-même à autre chose qu'une reconnaissance officielle de son droit à disposer de postes et de prébendes pour le M26 et ses autres dépendants. Troisièmement, le M26 avait aussi dans son ensemble avivé la concurrence entre organisations politiques au cours de ces deux années pendant lesquelles, afin de créer un climat insurrectionnel et à terme préparer le pays à des transformations sociales et politiques de grande envergure, il avait œuvré à encadrer et mobiliser la jeunesse et les secteurs populaires.

Du système des concurrents pour le pouvoir à la croisade contre le communisme

Le changement de contexte

Dans les premiers jours de 1959, tandis que les *politiqueros* se prévalaient entre eux d'un pouvoir d'influence sur Castro pour construire de nouvelles alliances et rechercher le soutien des diverses agences du gouvernement américain, les groupes insurgés jouèrent leurs derniers atouts avant l'arrivée des *barbudos* à La Havane pour se retrouver en position de force à l'heure de négocier un partage du pouvoir.

Dans l'Escambray, plusieurs groupes de guérilleros combattaient depuis le début de l'année 1958 sous la bannière du DRE (dont Eloy Gutiérrez Menoyo, qui fit scission et créa sa propre organisation, le « Second Front national de l'Escambray »), de l'Organisation authentique et du M26. Le 1er décembre 1958, Faure Chomón, pour le compte du DRE, et Ernesto Guevara, au nom du M26, avaient conclu le pacte del Pedrero, affirmant l'unité *d'action* de tous les groupes révolutionnaires. Dès la nouvelle de la fuite de Batista connue, Rolando Cubela et Faure Chomón de leur côté, Eloy Gutiérrez Menoyo du sien, envoyèrent néanmoins séparément leurs forces à La Havane. Les premières s'emparèrent brièvement du palais présidentiel, où elles entreposèrent des armes. De leur côté, les militants du M26, appartenant dans leur majorité à la lutte urbaine, établirent des gouvernements provisoires dans les municipalités et les provinces. La ferveur populaire s'accompagna à son tour un peu partout dans l'île de démonstrations de force visant à revendiquer des prébendes à l'heure de mettre en place les nouvelles autorités. Dans la confusion générale, des groupes se mobilisèrent en vue de combattre un éventuel retour des forces loyales à

Batista, ou encore pour instaurer l'ordre face aux bandits ou aux pilleurs tirant avantage de la situation. Alors que très rapidement, le PSP tenta de mobiliser les classes populaires pour pousser le gouvernement à adopter des réformes radicales, l'ensemble des groupes marginaux ne prêta dans un premier temps guère attention au processus révolutionnaire. Un certain nombre d'entre eux profitèrent du vide juridique pour piller et voler dans les villes, tandis que dans les zones rurales, d'autres gagnèrent les reliefs, rejoignirent çà et là quelques bandits de grand chemin ou *cuatreros* [22], et s'emparèrent de façon opportuniste de ce qu'ils trouvaient à travers le *monte*.

Comme le raconte le *Commandante* Huber Matos, envoyé dans la région de Camagüey pour former la nouvelle armée, la tâche consistait à la fois à pacifier le *monte*, à mettre fin aux exécutions arbitraires et à discipliner les caudillos et autres forces centrifuges qui s'étaient intégrés à l'Armée rebelle (Matos, 2004, chap. 28 et 29).

Dans ce contexte d'épuration, l'annonce d'un report des élections et du prolongement de la promulgation des lois par décret permit à Fidel Castro, fort de sa légitimité populaire, d'accroître encore son contrôle sur la politique gouvernementale et les nominations aux postes stratégiques. L'ancienne classe politique se trouva ainsi définitivement exclue de l'administration du pouvoir. Au cours de l'année 1959, les ministres et les syndicalistes de sensibilité libérale furent évincés à leur tour. Le nouveau pouvoir était en train de se construire autour d'une alliance entre les militants communistes, dont les capacités d'organisation et la cohérence idéologique manquaient aux mouvements révolutionnaires, et les secteurs radicaux du M26 et du DRE, ouverts à une entente avec le PSP. Celui-ci, exclu du système des concurrents pour le pouvoir par le « second Batista » et maintenu à l'écart par la « vieille opposition », voyait en Fidel Castro un allié manipulable qui permettrait au parti de tirer son épingle du jeu (Farber, 2006, pp. 137-166).

La chasse aux sorcières, les premières mesures de redistribution (réforme urbaine et réforme agraire) et la nationalisation sous l'égide du ministère des biens mal acquis des entreprises et des domaines agricoles dont les propriétaires étaient « compromis » avec l'ancien régime, impulsèrent la mobilisation des classes populaires, sur fond de rhétorique populiste.

Face à cette situation, les opposants au virage que prenait la révolution réagirent en appliquant les seules règles qu'ils connaissaient, celles du jeu politique qui prévalait à Cuba depuis les temps de la colonie [23]. Certains (Prío, Miró Cardona, Urrutia…) prirent le chemin de l'exil pour essayer d'y recomposer une alliance, éventuellement planifier des tentatives de débarquement armé à Cuba, et bénéficier de l'aval du gouvernement américain. Avant d'être également contraints à l'exil, d'autres ministres ou syndicalistes démissionnaires (comme

---

22. Voleurs de bétail.
23. Voir par exemple les descriptions de Robert Whitney (2001, pp. 82-83) au sujet des groupes exilés pendant et après la « révolution de 1933 ».

David Salvador, élu secrétaire général de la Central de Trabajadores de Cuba en novembre 1959, et remplacé l'année suivante par le leader communiste Lázaro Peña) visèrent à travers leur geste à reconstituer un système des concurrents pour le pouvoir qui finirait par exclure le prétendant illégitime qui non seulement les en avait évincés, mais avait aussi permis l'irruption des classes subalternes en son sein. Un troisième groupe, composé de militaires et fonctionnaires de rang intermédiaire, avait adopté une attitude plus ambiguë consistant à se maintenir dans les files de l'Armée rebelle ou de l'appareil d'État, tout en se tenant prêts à rejoindre une coalition de forces capables d'infléchir la politique révolutionnaire. Au sein de ces deux dernières catégories, certains conspiraient contre le nouveau régime, perpétrant ça et là des actes de sabotages et recherchant les moyens de mener à bien d'autres actions armées. De toutes ces initiatives éparses naquirent au cours de l'année 1960 le Mouvement de récupération révolutionnaire (MRR), le Mouvement du 30 novembre de David Salvador et le Directoire révolutionnaire étudiant (DRE) [24]. S'ils parvenaient à s'entendre, les opposants au virage « communiste » escomptaient le relais des personnalités en exil et des membres des classes moyennes et supérieures qui les avaient suivis en pensant que leur séjour à Miami serait bref. En réussissant à inverser le rapport de forces, ils espéraient s'attirer à eux les groupes flottants, qui n'étaient pas loin de constituer la majorité de la population.

Pour l'ensemble de ces secteurs, marqués par les images fantasmagoriques du collectivisme et du complot piloté depuis Moscou, il était quoi qu'il en soit entendu qu'à la longue, un régime communiste ne pouvait parvenir à s'implanter « à 90 miles » des États-Unis.

Les premiers alzamientos [25]

En août 1959, une première tentative de débarquement, combinée avec une livraison d'armes par avion à Trinidad, près de l'Escambray, fut déjouée par les services d'intelligence du nouveau régime. Connue sous le nom de « conspiration de Trujillo », elle avait été financée par le dictateur dominicain et un groupe d'exilés fortunés. Les planificateurs du débarquement avaient été induits en

---

24. Les archives du ministère de l'Intérieur seront *peut-être susceptibles un jour* d'indiquer dans quelle mesure ces organisations étaient pénétrées par les services d'intelligence du nouveau régime.
25. Hormis les reportages épiques de Norberto Fuentes (*Condenados de Condado*, La Habana, Ediciones Casa, 1968; *Cazabandidos*, Montevideo, Libros de la Pupila, 1970; *Nos impusieron la violencia*, La Habana, Editorial Letras Cubanas, 1986), le livre de l'historien anticastriste Enrique Encinosa (Encinosa, 1989) et celui de l'ancien prisonnier politique Odilo Alonso (Alonso, 1998), il n'existe pratiquement pas de témoignages écrits sur les guérillas de l'Escambray. La plupart des *alzados* y ont péri, et les rares survivants ne sont pas toujours enclins à témoigner. Une fois en exil, certains anciens *alzados* ont offert des bribes de récits lors d'interview et de conversations informelles. Parmi eux : Agapito Rivera Millian, commandant guérillero pendant 3 ans dans l'Escambray, prisonnier politique pendant 25 ans, Enrique Ruano, Chiche Gámez, Genaro Tardío, Elias Borges, José Rebozo Febles, ou Alberto Müller (pour la région de l'Oriente).

erreur, mais leur but était de rejoindre des hommes en arme dans la zone de las Villas où les guérillas opéraient à l'époque de la lutte contre Batista.

Dans la Sierra de los Órganos (province de Pinar del Río), dans la Sierra Maestra ou dans l'Escambray, des petits groupes avaient en effet pris spontanément le maquis au cours de l'année 1959. Appartenant à l'ancienne armée constitutionnelle, certains d'entre eux s'étaient échappés de prison, et le *monte* constituait de la sorte un refuge naturel. Ce fut le cas par exemple de l'ancien soldat Pastor Rodríguez Roda, qui gagna les montagnes de la province de Pinar del Río en 1959 puis devint chef de guérilla sous le nom de Cara Linda (Encinosa, 1989, p. 38). Il n'est pas certain que dans un premier temps leur intention ait été d'établir un foyer de guérilla : il était plutôt dans leur intérêt de rester en retrait en attendant des conditions propices pour redescendre.

Au gré des aléas, d'autres initiatives individuelles aboutirent à la prise de position de groupes réduits sur les reliefs de l'île. De nombreux officiers de l'Armée rebelle, « jeunes vétérans » de la lutte contre Batista, avaient été nommés à des postes de commandement dans la zone où ils avaient combattu en 1958. Au sein de ces espaces ruraux, ils exerçaient conjointement avec d'autres personnalités enracinées localement une autorité relevant davantage du charisme, voire de formes de clientélisme, que d'un pouvoir bureaucratique. Rapidement, ils durent partager leurs prérogatives avec les responsables des milices (formées à partir de 1959 à l'échelle de chaque centre de travail), du Departamento de Información del Ejército Rebelde (DIER ou G-2, la police secrète) et d'autres organisations gouvernementales comme l'Institut national de la réforme agraire (INRA). La première loi de réforme agraire, qui interdisait dorénavant la possession de domaines agricoles d'une superficie supérieure à 30 *caballerías* (environ 400 hectares), avait favorisé la propagation de rumeurs d'une « collectivisation » à venir de toutes les propriétés privées. Les agriculteurs, qui sans être forcément propriétaires de leurs terres, géraient jusqu'ici leurs cultures de façon autonome, craignirent aussi de devoir dorénavant se plier aux injonctions de nouveaux fonctionnaires, qui finiraient par réglementer la nature et la quantité des produits cultivés.

Les diverses conspirations ourdies dans ce contexte constituèrent alors une précaution face à cette intromission et à la menace d'une distension des liens qui s'étaient forgés localement. Ce fut particulièrement vrai des « meneurs d'hommes » de la zone de combat de l'Escambray et de leurs troupes, mais aussi de communautés paysannes soudées autour de personnalités locales, qui tous voyaient se rompre leurs modes de sociabilité. À cette dynamique locale s'ajouta un intérêt pour l'établissement de connexions avec des mouvements structurés à l'échelle nationale.

De la sorte, certains groupes se retrouvèrent sous la menace d'une arrestation pour conspiration, et prirent le maquis ou le chemin de l'exil sans avoir d'autre choix. D'autres gagnèrent le *monte* plus tôt qu'ils ne l'envisageaient, par exemple après une escarmouche ou après qu'une cache d'armes, préparée à toutes fins utiles, eut été découverte par des miliciens. Ce fut le cas d'Osvaldo Ramírez, capitaine dans la Police nationale révolutionnaire, qui gagna l'Escambray en 1960 (Encinosa, 1989, p. 11). Dans le même temps, les organisations clandestines commencèrent à encadrer directement la prise de maquis de figures locales, comme Benito Campos, lui aussi ex-capitaine de l'Armée rebelle, Juan José Catala « Pichi », lieutenant de l'Armée rebelle et chef militaire de la zone sud de Matanzas ou encore Plinio Prieto de l'O.A, qui gagnèrent séparément l'Escambray sous l'auspice du MRR. Evelio Duque, lieutenant de guérilla pendant la lutte contre Batista, fut sélectionné depuis La Havane pour structurer les groupes de la région. Les organisations clandestines organisaient aussi le transfert vers l'Escambray de « conspirateurs urbains » en danger, comme le raconte l'ancien prisonnier politique Odilo Alonso (Alonso, 1998, pp. 169-181) dans son propre cas avec le MRR.

Jusqu'à l'été 1960, les groupes d'*alzados*, pratiquement sans armes et isolés les uns des autres, se trouvaient avant tout dans une situation d'attente, et perpétuaient ainsi cette existence cyclique liée à l'organisation spatiale et temporelle du monde rural, alternant périodes de stabilité dans les zones peuplées et périodes de retrait dans le *monte*. Encore une fois, celui-ci constituait un filet de sécurité en même temps qu'il était un monde familier au sein duquel les *alzados* circulaient en s'appuyant sur les liens de sociabilité du monde rural. Cette situation d'attente pouvait déboucher sur un affrontement armé, synchronisé avec d'autres groupes, et au-delà, avec des organisations de l'univers urbain et de l'extérieur, ou ne rester qu'un mode de pression pour forcer le pouvoir à négocier, autant qu'elle pouvait se prolonger dans l'exil.

Il s'agissait d'une configuration typique du système des concurrents pour le pouvoir, les premières démonstrations de force étant destinées à signaler une capacité de pouvoir et à forcer les autorités à la négociation, autant que les groupes organisés de part et d'autre du détroit de Floride tentèrent de placer les *alzados* sous leur égide, et de faire en sorte que la violence centrifuge devienne une violence intégrée au système. En outre, comme personne n'excluait la possibilité d'un retournement de situation, une multitude d'individus étaient liés à des degrés variables aux réseaux faisant le lien entre conspirateurs et *alzados*. Malgré les risques encourus, les intermédiaires étaient nombreux, ce même parmi les miliciens, les militaires, voire les agents du G2, qui se tenaient prêts à anticiper un renversement du gouvernement. Enfin les groupes flottants qui sans s'être engagés ni d'un côté ni de l'autre, se maintenaient dans l'expectative, pouvaient le moment venu se révéler aussi décisifs qu'ils n'avaient été passifs jusque-là.

En « croisade » contre le communisme

Le MRR réussit à établir le contact avec Sinesio Walsh Ríos, un ancien capitaine du M26 qui avait dirigé une guérilla contre Batista dans l'Escambray et avait réuni une centaine d'hommes autour de lui. Le commandement de l'Escambray fut confié à Plinio Prieto, mais la plupart des membres de son groupe furent rapidement arrêtés, puis jugés. Le 10 octobre 1960, dans le cadre du « premier procès de l'Escambray », cinq leaders furent condamnés à mort et exécutés, et une soixantaine de guérilleros condamnés à des peines de 20 à 30 ans d'emprisonnement. Evelio Duque, désigné par le Frente Revolucionario Democrático (FRD, organisation soutenue par la CIA et regroupant plusieurs groupes dont le DRE et le MRR, à Cuba et à Miami) pour succéder à Plinio

Prieto, parvint à structurer sept colonnes et à placer d'autres groupuscules sous son autorité (Encinosa, 1989, p. 11).

Dès lors, les guérilleros s'employèrent à attaquer les garnisons de miliciens, à incendier les cannaies et les coopératives appartenant à l'État, ou à brûler les propriétés des délateurs supposés. Organisés en petits groupes mobiles, ils s'inséraient dans des réseaux qui comptaient bien moins de combattants que de collaborateurs chargés de les ravitailler, de les informer ou de les cacher. Lorsqu'ils étaient traqués par les miliciens, ils pouvaient passer de longues périodes dans le *monte firme* (ou *intricado*). La capacité de se fondre dans un tel environnement, de se faire *jíbaro* [26], de survivre affamés et assoiffés dans des grottes, les faisait renouer avec la dimension légendaire du *monte cimarrón*.

De la sorte, ils renouvelaient le répertoire de l'action collective dont tous les « mouvements de libération » avaient fait usage. Mais aux yeux du reste de la population, leurs actions souffraient aussi des mêmes ambiguïtés que celles de leurs prédécesseurs, et pouvaient susciter la peur. C'était le cas par exemple des embuscades tendues sur les routes, au cours desquelles les guérilleros forçaient les passagers à descendre des bus avant d'y mettre le feu, de façon à attirer des militaires ou des miliciens pour pouvoir les mitrailler. L'exécution en janvier 1961 par la guérilla d'Osvaldo Ramírez de l'alphabétiseur volontaire Conrado Benítez fut également préjudiciable à la réputation des *alzados*. Si ces derniers justifièrent leur geste par le fait que Benítez collaborait avec les miliciens et l'armée, la propagande du nouveau régime saisit l'opportunité de créer un martyr.

En décrivant les *alzados* comme des « bandits », et en leur imputant des crimes sadiques (viols et mutilations), les autorités ravivèrent des fantasmes anciens qui sommeillaient dans l'imaginaire populaire. Plus encore, le nouveau régime était aussi en train de construire sa légitimité à partir de sa capacité à instaurer l'ordre public, et en insistant sur les « vols » et les « exactions » commises par les « bandits », il parvint dans une certaine mesure à les associer à l'image de la plèbe et du chaos.

Enfin, dans un pays peuplé en majorité d'Espagnols et d'immigrés espagnols de la deuxième et de la troisième génération [27], la présence autour de Fidel Castro d'éléments radicalement anticléricaux fit ressurgir les clivages de la guerre d'Espagne. Fidel Castro, lui-même de père galicien, avait à plusieurs reprises traité les prêtres de « phalangistes » et de « fascistes » au cours de l'année 1960 (Nelson, 1972, p. 157). Les éléments anticléricaux dont il est question regroupaient des francs-maçons, des républicains exilés, des vétérans des Brigades internationales, communistes ou anarchistes, et des Espagnols ou descendants d'Espagnols qui

26. « Sauvage ».
27. Entre 1868 et 1898, 700 000 Espagnols émigrèrent définitivement à Cuba (Moreno Fraginals, 1995, p. 297). La population totale en 1899 était d'environ 1,5 million d'habitants, dont 200 000 étaient nés en Espagne. Entre 1902 et 1933, environ 725 000 Espagnols émigrèrent à leur tour à Cuba. Après que le gouvernement des « cent jours » fit promulguer « la loi des 50 % », qui stipulait que la moitié des employés des entreprises devaient être cubains, une proportion importante d'Espagnols acquit la nationalité cubaine, sans que ne cesse le flux migratoire en provenance de la péninsule.

avaient ressenti une grande frustration du fait de devoir suivre la guerre civile à distance, depuis Cuba. Pour certains d'entre eux, l'affrontement avec les *alzados* se transforma ainsi à certains égards en une reprise de la guerre d'Espagne. Parmi les miliciens « convaincus », nombreux étaient les fils d'Espagnols qui considéraient que la première guerre ayant été perdue, il convenait cette fois d'empêcher les « fascistes » de l'emporter. Odilo Alonso, de nationalité espagnole, raconte que lors de son interrogatoire en 1961, les miliciens et les officiers du DIER voulaient lui faire avouer qu'il avait été « envoyé par Franco » (Alonso, 1998, p. 207).

Symétriquement, dans l'esprit de nombreux secteurs anticastristes, la « récupération révolutionnaire » avait pour but d'empêcher les communistes de faire à Cuba le même tort que celui qu'ils avaient porté en Espagne au camp républicain. Comme les groupes guérilleros étaient composés d'éléments épars, la persécution des religieux contribua à cimenter leur idéologie autour de l'anticommunisme.

À leur tour, quelques aventuriers internationalistes firent de Cuba l'un des nouveaux lieux de l'affrontement entre antifascistes et anticommunistes, et cherchèrent à s'intégrer à l'un des deux camps. En octobre 1960, un groupe de 27 hommes en arme tenta de débarquer en Oriente pour prendre position dans le *monte*. Emmenés par « el Indio Feria », volontaire des Brigades internationales, anticommuniste, et membre de Joven Cuba dans les années 1930, ils furent abattus lors de la tentative.

Face à la menace d'une implantation durable des guérillas, le nouveau régime mobilisa 60 000 miliciens entre décembre 1960 et mars 1961 dans le cadre du « Nettoyage de l'Escambray ». Appliquant la technique du « ratissage prolétarien », ils décimèrent les groupes presque entièrement, et afin de couper les guérilleros de tout soutien, une partie des populations locales fut « relocalisée », notamment à Sandino dans la province de Pinar del Río. Evelio Duque parti en exil, Osvaldo Ramírez était devenu le chef de l'Escambray. En avril, la neutralisation de la tentative de débarquement de 1 500 exilés à Playa Girón fournit aux autorités l'occasion de procéder à l'arrestation de 100 000 individus répertoriés comme « suspects », alors que l'insurrection synchronisée planifiée par Alberto Müller et le DRE en Oriente avait également échoué (Encinosa, 1989, p. 47). Les *alzados* de Cuba étaient dorénavant coupés du monde extérieur, d'autant plus que Fidel Castro avait proclamé officiellement le caractère « socialiste de la révolution ».

Malgré tout, les maquis de l'Escambray se reformèrent rapidement à partir du regroupement des guérilleros des régions avoisinantes, et furent ensuite alimentés principalement par deux catégories d'hommes jeunes. Les premiers, pressés de s'enrôler dans les milices après Girón, préférèrent rejoindre les *alzados*. Les seconds, mettant en avant leur sens de l'honneur familial, voulaient poursuivre le combat au nom de leurs proches morts ou en prison. Originaires de l'Escambray, cinq des six frères Tardío perdirent par exemple la vie entre 1961 et 1965.

À l'issue de la réunion du Cicatero qui se tint les 15 et 16 juillet 1961, les chefs guérilleros créèrent indépendamment de toute autre organisation le Frente Unido Revolucionario del Escambray (FURE) et nommèrent Osvaldo Ramírez commandant en chef de l'Armée de libération nationale. Ce dernier promit alors « [qu'il lutterait] contre le communisme jusqu'à ce que Cuba soit libre ou jusqu'à ce [qu'il meure] au combat », assurant que « pour [lui] il n'y [aurait] pas d'exil » (Encinosa, 1989, p. 21). De nouveau, les *alzados* perpétrèrent des actes de sabotages, provoquèrent des pertes importantes dans les rangs de l'armée et des miliciens, et parvinrent ça et là à acheminer des armes vers la province de Pinar del Río. Le gouvernement lança alors à partir de 1962 le « deuxième nettoyage de l'Escambray », et créa les unités spéciales de Lucha Contra Bandidos (LCB) en juillet de cette année.

Dès lors, les groupes de guérilleros furent lentement décimés : Osvaldo Ramírez fut abattu le 16 avril 1962, et son successeur, Tomás San Gil, perdit la vie au combat à l'âge de 24 ans, le 1er mars 1963. Le troisième chef de l'Escambray, Emilio Carretero fut exécuté le 22 juin 1964, à l'âge de 30 ans, dans des circonstances qui illustrent la situation des guérillas à partir des années 1963-1964 : tombé dans le piège tendu par la Sûreté de l'État, il fut arrêté en compagnie de ses hommes sur un bateau qui était censé le conduire à Miami. Peu de temps après, le dernier chef de l'Escambray, José Chéito López, fut tué au combat à l'âge de 26 ans. Les derniers noyaux réduits d'*alzados* furent éliminés en 1965.

Au cours des années 1962-1964, le « pays en dehors » se referma peu à peu sur les guérilleros, qui glissèrent dans l'isolement. Ceci fut le résultat, d'une part, de l'accord conclu lors de la crise des missiles entre Kennedy et Khrouchtchev, au terme duquel le gouvernement américain s'engagea à ne plus soutenir ni promouvoir de tentatives de débarquement sur le territoire cubain. D'autre part, l'intensification des « relocalisations » des populations locales, conjuguée aux effets indirects du rationnement et des pénuries dans toute l'île, priva les *alzados* de pratiquement toute forme d'approvisionnement et de communication.

L'affrontement avec les unités spéciales de la LCB les projeta de surcroît dans un face-à-face de type « *guajiro* contre *guajiro* ». L'enjeu des combats devint en lui-même de « rompre l'encerclement », d'échapper au passage au peigne fin, de se réfugier dans les endroits inaccessibles et connus des vrais *jíbaros*. S'extraire soi-même une balle ou cautériser une blessure au fer rouge avec une machette devint une victoire en soi, et la *lutte* se réinscrivit exclusivement dans un registre épique.

La mise au pas du reste de la société, l'inégalité du combat, ainsi que la souffrance et la mort comme seules perspectives, poussèrent les guérilleros à rechercher une immolation héroïque, conforme aux plus hautes valeurs liées dans la mémoire nationale aux luttes de libération et à la *cubanité* : le suicide altruiste au nom de la patrie, et le suicide d'honneur comme refus de vivre en désaccord avec ses idéaux (Pérez Jr, 2005).

En insistant systématiquement dans leur description des bourreaux « communistes » sur l'image de la *chusma* donnant libre cours à sa soif de vengeance et de destruction contre la civilisation cubaine, et en présentant le G2 et le régime dans son ensemble comme inféodés à Moscou et aux démocraties populaires, ils jetèrent les fondements d'un discours rejetant le castrisme du côté de la barbarie et de l'étranger. En mourant en martyrs christiques, ils ancrèrent aussi la lutte patriotique dans une tradition chrétienne, et firent au contraire du régime castriste l'incarnation du mal.

DES *ALZADOS* AUX « JUSTES »

Comme l'a montré Elizabeth Burgos, l'image des martyrs christiques et d'une croisade contre le communisme s'est perpétuée à travers la *cause* des *plantados* et des conditions de détention des prisonniers politiques cubains (Burgos, 2005 et Bloch, 2006). En situation de vulnérabilité absolue, la seule forme de résistance qui leur était possible passait par le refus de se plier à la discipline carcérale, et par le maintien de la permanence de soi face à l'entreprise de destruction méthodique de la personne et du corps qu'ils subissaient en représailles.

Une fois en exil, cette image de la résistance et des croisés a créé les conditions d'un effacement des frontières entre prisonniers politiques cubains à Cuba et prisonniers politiques cubains à l'extérieur, en ce sens qu'ils étaient tous victimes du « mal absolu ». L'Institut de la mémoire historique cubaine contre le totalitarisme présente par exemple dans un livre de témoignages une liste de « prisonniers politiques cubains en prison hors de Cuba », qui inclut des activistes anticastristes condamnés pour des actes de terrorisme par des tribunaux américains ou vénézuéliens (IMHCT, 2005, p. 401-404).

Cette image de la résistance dans la vulnérabilité absolue a déplacé également la thématique de la lutte contre le communisme vers celle de la lutte contre le totalitarisme. Au sein de certains secteurs en exil, les *plantados* sont comparés aux rescapés de l'Holocauste, et plus encore aux « Justes ». Par extrapolation, l'exil des Cubains est associé à l'errance biblique du peuple juif.

L'élaboration d'une mémoire de cette nature répond d'une certaine manière au déni de justice dont sont victimes *alzados*, *plantados* et autres prisonniers politiques. Le gouvernement cubain ne s'est jamais montré disposé à leur assigner dans son écriture de l'histoire un autre rôle que celui de « contre-révolutionnaires à la solde de l'ennemi ». La plupart des historiens dans le monde continuent d'accueillir le récit de leurs expériences dans le soupçon, laissant prudemment aux « militants » le soin « d'occuper le champ » et de s'invectiver entre eux. Et l'opinion publique internationale, prise dans la mise en concurrence anachronique des victimes de tout bord, ne leur a pas prêté grande attention au cours des cinq dernières décennies.

En faisant de l'expérience des *alzados*, *plantados* et autres prisonniers politiques la matrice de l'expérience révolutionnaire en général, la *mémoire* des *crimes du castrisme* risque cependant de présenter l'*histoire* du *régime castriste* exclusivement sous l'angle d'un conflit entre les dirigeants et la société. Or les *crimes du castrisme*, qui doivent être reconnus pour ouvrir la voie à une éventuelle réconciliation, ne doivent pas non plus éclipser un véritable travail de compréhension historique du *castrisme* en tant que *forme de pouvoir*. À l'image de l'ambivalence des pratiques de « prise de maquis » dans l'histoire cubaine, le régime qui s'est progressivement mis en place à partir de 1959 a canalisé un ensemble de dynamiques sociales et politiques autant qu'il a constitué une rupture violente. Il a d'abord prolongé un jeu politique et des formes d'action collective inscrits dans une idéologie d'ordre, avant d'imposer une forme de domination nouvelle sur la société en expurgeant le *corps* social indivisible de ses « ennemis ». Les dirigeants ont ainsi rapidement réussi à décourager l'opposition collective, et promu ensuite la recherche de stratégies d'accommodation individuelle à l'intérieur d'un système de normes fluctuantes et ambiguës, qui tout en s'éloignant de la légalité socialiste, n'ont jamais menacé l'ordre imposé par le régime.

BIBLIOGRAPHIE

ALONSO O., 1998, *Prisionero de Fidel Castro*, Madrid, Noesis.

ANDERSON C. W, 1967, *Political and Economic Change in Latin America, the Governing of Restless Nations*, Van Nostrand.

BARTHÉLEMY G., 1990, *L'univers rural haïtien, le pays en dehors*, Paris, l'Harmattan.

BATAILLON G., 2003, *Genèse des guerres internes en Amérique centrale, 1960-1983*, Paris, Les Belles Lettres.

BIZCARRONDO M. & ELORZA A., 2001, *Cuba/España. El dilema autonomista, 1878-1898*, Madrid, Editorial Colibrí.

BLOCH V., 2006 « Genèse d'un pouvoir totalitaire : le cas de Cuba », *Communisme*, 85/86, pp. 85-115.

BURGOS E., 2005 « *Plantados* jusqu'à la liberté : le corps comme territoire de résistance et d'affirmation de l'intégrité face au système carcéral à Cuba », *Nuevo Mundo Mundos Nuevos*, Número 5 – puesto en línea el 19 de marzo 2005 disponible : http://nuevomundo.revues.org/document873.html

DOMÍNGUEZ J. I., 1978, *Cuba: Order and Revolution*, Cambridge, Harvard University Press.

ENCINOSA E., 1989, *Escambray: La Guerra Olvidada. Un Libro Histórico de los Combatientes Anticastristas en Cuba (1960-1966)*, Miami, Editorial SIBI.

FARBER F., 2006, *The Origins of the Cuban Revolution Reconsidered*, Chapel Hill and London, The University of North Carolina Press.

FERRER A., 1999, *Insurgent Cuba. Race, Nation and Revolution, 1868-1898*, Chapel Hill and London, The University of North Carolina Press.

HELG A., 1995, *Our Rightful Share. The Afro-Cuban Struggle for Equality, 1886-1912*, Chapel Hill and London, The University of North Carolina Press.

Instituto de la Memoria Histórica Cubana contra el Totalitarismo, 2005, *Cuba: Clamor del Silencio. Presidio Político Cubano, Testimonios*, Miami, Ediciones Memorias.

MATOS H., 2004, *Cómo llegó la noche*, Barcelona, Tusquets Editores.

MORENO FRAGINALS M., 1995, *Cuba/España, España/Cuba, historia común*, Barcelona, Editorial crítica.

NELSON L., 1972, *Cuba: Measure of a Revolution*, Minneapolis, University of Minnesota Press.

ORTEGA L., 2002, « Las raíces del castrismo », *Encuentro de la cultura cubana*, 24 (1), pp. 317-327 [1970].

PALMIÉ S., 2002, *Wizards & Scientists, Explorations in Afro-Cuban Modernity & Tradition*, Durham and London, Duke University Press.

PAREDES R., 1998, *Cuba: cómo vivir muriendo*, Library of Congress.

PÉREZ DE LA RIVA F., 1996, "Cuban Palenques", dans R. Price (Ed), *Maroon Societies, Rebel Slave Communities in the America*, Baltimore and London, The Johns Hopkins University Press, pp. 49-59. [1952].

PÉREZ Jr L. A., 1995, *Cuba Between Reform and Revolution*, New York and Oxford, Oxford University Press.

PÉREZ Jr L. A., 2005, *To Die in Cuba*, Chapel Hill and London, The University of North Carolina Press.

PÉREZ STABLE M., 2002, « La transición pacífica que no tuvo lugar (1954-1956) », *Encuentro de la Cultura Cubana*, 24 (1), pp. 283-305.

PRICE R. (Ed), 1996, *Maroon Societies, Rebel Slave Communities in the America*, Baltimore and London, The Johns Hopkins University Press.

SCHWARTZ R., 1989, *Lawless Liberators, Political Banditry and Cuban Independence*, Durham and London, Duke University Press.

SWEIG J. E., 2002, *Inside the Cuban Revolution, Fidel Castro and the Urban Underground*, Cambridge, Harvard University Press.

WHITNEY R., 2001, *State and Revolution in Cuba. Mass Mobilization and Political Change, 1920-1940*, Chapel Hill and London, The University of North Carolina Press.

RÉSUMÉS

OÙ EN EST L'INTÉGRATION CENTRE-AMÉRICAINE ?

L'article examine la construction régionale centre-américaine, dans ses dimensions institutionnelle et économique, à partir, principalement, des modèles européen et nord-américain. Il s'agit plus particulièrement de comprendre pourquoi la multiplication des institutions et des engagements de nature politique ne renforce que marginalement l'effectivité des politiques publiques des États de la sous-région. De la même façon, l'approfondissement de l'intégration économique, si elle offre des résultats en termes commerciaux, ne débouche pas sur une amélioration décisive en matière sociale. Dans ce contexte, les petits États de l'isthme semblent miser sur un régionalisme ouvert pragmatique afin de compenser leurs faiblesses face aux grands acteurs régionaux.

Philippe LÉTRILLIART

AUX MARGES DE LA DÉMOCRATIE : 22 ANS DE PROCESSUS ÉLECTORAUX AU GUATEMALA

Comme le révèlent les dernières élections générales de 2007, la démocratisation guatémaltèque est prisonnière de nombreux paradoxes et dilemmes. Sans aucun doute, la transition d'un régime autoritaire légitimé par des élections « de vitrine », à un régime plus ouvert et pluriel, a contribué à la pacification de la vie politique, après 36 ans de guerres internes. Cependant, de nombreuses continuités avec le passé limitent ses portées, dont une importante abstention, une atomisation et une personnalisation exacerbées de l'offre partisane, et une insolite volatilité du vote. Ces pièces, qui semblent conformer un véritable casse-tête électoral, ne sont pas complètement désarticulées lorsqu'elles s'observent depuis l'échelle locale, mais elles manquent actuellement de dynamiques structurées et intégrées au niveau national. À quoi servent, alors, les élections au Guatemala ? Peuvent-elles « fonctionner » d'une manière « démocratique » dans l'absence d'un État de droit, avec des institutions défaillantes et délégitimées, avec un système de partis éclaté et avec une citoyenneté passive, dépolitisée et démobilisée, désarticulée et incomplète ?

Willibald SONNLEITNER

L'AFFAIRE ZOILAMÉRICA NARVÁEZ CONTRE DANIEL ORTEGA OU LA CADUCITÉ DE « L'HOMME NOUVEAU »

Le 2 mars 1998, Zoilamérica Narváez dénonce publiquement Daniel Ortega, son père adoptif, commandant de la révolution sandiniste et ex-président de la République, pour des viols perpétrés à son encontre dès l'âge de 11 ans. Cette mise en accusation déclenche une controverse sans précédent dans l'opinion publique nicaraguayenne. Elle met en scène la « famille révolutionnaire », la mémoire du régime sandiniste et toute une série d'acteurs, qui par leurs interventions dans la presse en faveur d'Ortega ou bien de Narváez feront de l'affaire un moment singulier de débats publics tant sur les violences sexuelles et l'inceste que sur l'exercice du pouvoir politique au cours du régime sandiniste. L'article décrit les formes de l'indignation après les témoignages de Zoilamérica. Il analyse l'épreuve politique que ces témoignages entraînent pour les acteurs se réclamant du sandinisme. Il montre comment un travail de sensibilisation contre les violences sexuelles est mené par l'action collective féministe. Il relate les étapes judiciaires nationales et internationales de l'affaire en montrant comment Daniel Ortega a fait en sorte d'échapper à la justice pénale. Dix ans après le début de la controverse, il en analyse pour finir ses résonnances actuelles.

Delphine LACOMBE

Le gouvernement a polarisé le pays et la crise économique rend un dialogue national urgent

Comment le Nicaragua doit-il faire face à la crise économique ? Loin de chercher à rassembler les Nicaraguayens au travers d'un dialogue national associant les différentes forces politiques et sociales ou de décider de mettre à profit l'aide de la coopération internationale, Daniel Ortega a fait l'option de mesures attentistes visant avant tout à consolider sa domination et celle de ses alliés libéraux en s'appuyant sur l'aide provenant du Venezuela. Considérant que ces choix sont les mêmes que ceux qui conduisirent à l'échec du projet sandiniste dans les années 1980, Dora Maria Tellez prône à l'inverse un *aggiornamiento* inspiré des pratiques des gauches démocratiques latino-américaines tant au Chili, qu'en Uruguay et au Brésil. Elle appelle aussi ce faisant aussi à des solutions réformistes très semblables à celles imaginées par le nouveau président de la République au Salvador, Mauricio Funes.

Dora María TÉLLEZ

« Alzarse » : les formes d'une pratique depuis l'époque des palenques jusqu'à l'extinction des derniers groupes de guérilleros anticastristes

L'objet de cet article est, à partir d'une analyse historique, de décrire la complexité des *alzamientos* (« prises de maquis ») qui survinrent à Cuba entre 1959 et 1965, en réfléchissant sur la façon dont s'y sont entremêlés des pratiques ancrées dans les temps longs de l'histoire locale, des registres de l'action politique participant du « système des concurrents pour le pouvoir », et des enchaînements séquentiels qui ont déplacé les affrontements vers un terrain idéologique, puis vers des représentations fantasmagoriques.

Vincent BLOCH

RESÚMENES

¿ CÓMO QUEDA LA INTEGRACIÓN CENTROAMERICANA ?

Basándose principalmente en los modelos europeo y norte-americano, el artículo examina la construcción regional centroamericana, en sus dimensiones institucionales y económicas. Se trata en particular de entender por qué razón la multiplicación de las instituciones y compromisos de naturaleza política sólo conducen a un fortalecimiento marginal de las políticas públicas de los Estados de la sub-región. De la misma manera, si la profundización de la integración económica ofrece resultados en términos comerciales, ésta no desemboca en un mejoramiento social decisivo. En este contexto, los pequeños Estados del istmo parecen apostar por un regionalismo abierto y pragmático para compensar sus debilidades frente a los grandes actores regionales.

Philippe LÉTRILLIART

AL MARGEN DE LA DEMACRACIA : 22 AÑOS DE PROCESOS ELECTORALES EN GUATEMALA

Como lo revelan los últimos comicios generales de 2007, la democratización guatemalteca se encuentra enfrascada en una serie de paradojas y de dilemas. Indudablemente, la transición desde el autoritarismo hacia un régimen más abierto y plural, contribuyó a pacificar la política, después de 36 años de guerra interna. Sin embargo, siguen prevaleciendo muchas continuidades que han limitado sus alcances desde 1985, entre ellas un exacerbado personalismo de la política, una insólita atomización partidista, un importante abstencionismo y una impresionante volatilidad del voto. Estas piezas, que a primera vista configuran una suerte de rompecabezas electoral, no están totalmente desarticuladas cuando se estudian desde una perspectiva local, pero carecen de dinámicas estructuradas e integradas en el nivel nacional. ¿ Para qué sirven las elecciones en Guatemala ? ¿ Pueden éstas « funcionar » de una manera « democrática » en la ausencia de un Estado de derecho, con instituciones deficientes y desacreditas, con un sistema de partidos « pulverizado » y con una ciudadanía pasiva, despolitizada y desmovilizada, desarticulada e incompleta ?

Willibald SONNLEITNER

LA CONTROVERSIA ZOILAMÉRICA NARVÁEZ CONTRA DANIEL ORTEGA, O LA CADUCIDAD DEL « HOMBRE NUEVO »

El 2 de marzo de 1998, Zoilamérica Narváez denuncia públicamente a Daniel Ortega, su padre adoptivo, comandante de la revolución sandinista y ex Presidente de la República ; por violaciones perpetradas en su contra desde la edad de 11 años. Esta acusación provoca una controversia sin precedentes en la opinión pública nicaragüense. Pone en el escenario público a la « familia revolucionaria », a la memoria del régimen sandinista, y a toda una seria de actores ; quienes, por sus intervenciones en los medios a favor de Ortega o de Narváez, hacen de la controversia un momento singular de debate público tanto sobre las violencias sexuales y el incesto, como sobre el ejercicio del poder político durante el régimen sandinista. El artículo describe las manifestaciones de indignación consecuentes al testimonio de Zoilamérica. Analiza la « prueba política » que entraña dicho testimonio para los actores que se reivindican como sandinistas. Muestra el trabajo de sensibilización en contra de las violencias sexuales desarrollado por la acción colectiva feminista. Relata las etapas judiciales nacionales e internacionales del proceso, exponiendo de qué manera Daniel Ortega evadió la justicia penal. Diez años después del inicio de la controversia, este trabajo analiza finalmente sus resonancias actuales.

Delphine LACOMBE

« *El gobierno ha polarizado al país y la crisis económica hace urgente un diálogo nacional* »

¿Cómo enfrentar la crisis económica que afecta Nicaragua ? Lejos de reunir a los Nicaraguenses a través de un dialógo nacional que abarcara a todas las fuerzas políticas y sociales del país, o de aprovechar de la ayuda de la cooperación internacional, Daniel Ortega escogió seguir con sus políticas de espera que sirven ante todo a consolidar su poder personal y el de sus aliados liberales, ésto gracias a la ayuda venezolana. Al considerar que estas mismas opciones son las que llevaron el proyecto sandinista de los años 80 al fracaso, Dora Maria Tellez llama un *aggiornamiento* inspirado de las prácticas de las izquierdas democráticas latino-americanas, como en Chile, en Uruguay o en Brasil. Así es cómo invoca soluciones reformistas similares a las que propone el nuevo presidente salvadoreño, Mauricio Funes.

Dora María TÉLLEZ

« *Alzarse* » *: Las formas de una práctica desde la época de los pelenques hasta la extincíon de los últimos grupos de guerilleros castristas*

El propósito de este artículo es describir, a partir de un análisis histórico, la complejidad de los alzamientos que ocurrieron entre 1959 y 1965, reflexionando sobre la manera en que se entremezclaron prácticas ancladas a lo largo de la historia local, con registros de la acción política que participaban del « sistema de los competidores por el poder », y encadenamientos secuenciales que desplazaron los enfrentamientos hacia un terreno ideológico, y más tarde, hacia representaciones fantasmagóricas.

Vincent BLOCH

ABSTRACTS

WHERE DOES THE CENTRAL AMERICAN INTEGRATION STAND?

This article deals with the regional construction in Central America, in its institutional and economic dimensions, mainly on the basis of European and North American models. What is particularly at stake is to understand why the multiplication of institutions and political commitments only strengthens marginally the effectiveness of States public policies in the sub-region. As well, despite of its commercial results, the deepening of the economic integration doesn't lead to decisive social improvements. In this context, the small States of the isthmus seem to bet for a pragmatic open regionalism in order to compensate their weaknesses in front of the great regional actors.

Philippe LÉTRILLIART

FROM MARGINS OF DEMOCRACY: 22 YEARS OF ELECTION PROCESS IN GUATEMALA

The guatemalan democratization encounters many paradoxes and dilemmas as the last general elections of 2007 reveal undoubtedly, the transition from an authoritarian government legitimated by elections of sorts to a more open and plural government, contributed to the pacification of political life after 36 years of internal wars. However, the consequences of these elections are limited by many continuities, among which a large abstention, an atomization and a heightened personalization of the partisan offer, and an unusual volatility of vote. These elements, which seem to create a real election headache, set out some coherence when they are observed on a local scale but structured and integrated dynamics currently miss them at the national level. So, what are the elections used for? Would they succeed in a democratic way in the absence of a constitutional state, with no legitimated and shaky institutions, with a system of confused parties and with a passive, depoliticized and demobilized, inconsistent and incomplete citizenship?

Willibald SONNLEITNER

THE CONTROVERSY ZOILAMÉRICA NARVÁEZ VERSUS DANIEL ORTEGA OR THE LAPSED "NEW MAN"

On March 2, 1998, Zoilamérica Narváez publicly denounced Daniel Ortega, her adoptive father, *comandante* of the Sandinista Revolution and ex President of Nicaragua, for sexual abuse perpetrated against her beginning when she was 11 years old. This accusation provoked an unprecedented controversy in Nicaraguan public opinion. It shed a new light on the "revolutionary family", the memory of the Sandinista regime and a series of important actors, all of whom, through their expressions to the media either in favor of Ortega or in favor of Narváez, made this controversy a singular moment of public debate on sexual violence and incest and the exercise of power during the Sandinista regime. This article describes the manifestations of indignation were sparked by the testimony of Zoilamérica Narváez. It analyzes the "political proof" that this testimony contains for those actors that identify as Sandinistas. It describes efforts by the feminist collective to raise awareness of the struggle against sexual violence, and details the stages of the national and international judicial process, exposing the ways in which Daniel Ortega avoided justice. Ten years later, this work analyzes the repercussions of this controversy on Nicaragua today.

Delphine LACOMBE

THE GOVERNMENT HAS DIVIDED THE COUNTRY AND THE ECONOMIC CRISIS MAKES A NATIONAL DIALOGUE NECESSARY

How should Nicaragua cope with the economic crisis ? Far from uniting the Nicaraguan through a national dialogue that would gather political and social actors, or taking advantage of the internal cooperation, Daniel Ortega has chosen a wait-and-see policy that just serves to strengthen his own influence, as well as his liber allies' too, thanks to Venezuela's aid. By stating that these options have already lead the sandinista project to a failure in the 80s, Dora Maria Tellez is advocating for an *aggiornamiento* inspired by latino-american left-wing democratic experiences, such as chilean, uruguayan and brazilian ones. That's why she's yearning for reformist solutions similar to what the salvadorian President, Mauricio Funes, is implementing.

DORA MARÍA TÉLLEZ

"ALZARSE": PRACTICES FROM PALENQUE'S TIME TO THE EXTINCTION OF THE LAST ANTICASTRIST GUERILLA BANDS

This article aims to describe, through a historic analysis, the complexity of the *alzamientos* ("uprisings") that took place in Cuba between 1959 and 1965 by reflecting on the way in which they intermingled practices anchored in long-term history, registers of political action attached to the "system of competitors for power" and a sequence of events that shifed the confrontations toward an ideological terrain and then toward phantasmagoric depictions.

Vincent BLOCH

Problèmes d'Amérique latine

Bulletin d'abonnement
ou de
Réabonnement

M, Mme, Mlle ———————— Prénom ————————————

Société/Institution ————————————————————————

N° ———————— Rue ————————————————————————

Code postal ————— Ville ————————————————————

Pays ————————————————————————————————

Adresse électronique ————————————————————————

	France	Autres pays
1 an (4 numéros)	75 €	85 €
2 ans (8 numéros)	140 €	160 €

Je souscris un abonnement pour ❑ 1 an ❑ 2 ans

À partir du numéro ————

Date ————————————— Signature/Cachet

Paiement par chèque à l'ordre de
Éditions Choiseul
28, rue Étienne Marcel
75002 Paris

L'abonnement à **Problèmes d'Amérique latine** peut également être
effectué par carte bancaire sur le site www.choiseul-editions.com

BULLETIN D'ABONNEMENT OU DE RÉABONNEMENT

RECOMMANDATIONS AUX AUTEURS

Le comité de rédaction de la revue est ouvert à toute proposition d'article.

Les auteurs sont priés de respecter les lignes directrices suivantes quand ils préparent leurs manuscrits :
- Les articles ne doivent pas dépasser 40 000 signes (notes et espaces compris).
- Deux résumés, l'un en français, d'une quinzaine de lignes maximum et un autre, en anglais, de la même importance, doivent être fournis avec le manuscrit, accompagnés de la qualité et des dernières publications de l'auteur.
- Les auteurs feront parvenir leur article par Internet à l'adresse suivante : pal@choiseul-editions.com en format MS Word (.doc ou .rtf).
- Tous les tableaux, graphiques, diagrammes et cartes doivent porter un titre et être numérotés en conséquence. Toutes les figures doivent être transmises en fichiers séparés d'une résolution suffisante (idéal 300 dpi) et en niveaux de gris. Leurs emplacements doivent être clairement indiqués dans le texte.
- Préférer le plus souvent les notes de bas de page aux notes de fin et bibliographie finale.
- Une attention particulière devra être portée à la ponctuation : guillemets français, majuscules accentuées (État, À partir de, Égypte, etc.) et à un usage modéré des majuscules conformément aux règles typographiques.

Référence : Collectif, *Lexique des règles typographiques en usage à l'imprimerie nationale*, Imprimerie Nationale, Paris, 2002.

Modèles de références bibliographiques :

Jean-François Daguzan, « Le nucléaire iranien jusqu'au bout ? », *Géoéconomie*, N° 36, Hiver 2005-2006.

Alain Coldefy, « Géopolitique de la mer et actualité des conflits maritimes », dans Pascal Lorot et Jean Guellec (dir.), *Planète océane. L'essentiel de la mer*, Choiseul Éditions, Paris, 2006, pp. 269-280.

Pascal Lorot, *Le siècle de la Chine, Essai sur la nouvelle puissance chinoise*, Choiseul Éditions, Paris, 2007.

La rédaction s'engage à communiquer sa réponse dans les plus brefs délais. Par ailleurs, elle est susceptible de demander aux auteurs des modifications ou des précisions.

L'envoi d'une contribution implique l'acceptation par l'auteur des conditions de la publication, dans la revue et en ligne, des éditions Choiseul.

Problèmes d'Amérique latine
N° 73 – Juillet 2009

ISSN : 0765-1333
Numéro CPPAP : 0909K82678
ISBN : 978-2-916722-63-4

Groupe Corlet Imprimeur
ZI, route de vire
rue Maximilien-Vox
BP 86
14110 Condé-sur-Noireau